O MITO DA PERFEIÇÃO

O MITO DA PERFEIÇAO

O MITO DA PERFEIÇÃO

Liberte-se da exaustiva prática da comparação

—

RICHELLA J. PARHAM

Traduzido por Angela Tesheiner

Copyright © 2019 por Richella J. Parham
Publicado originalmente por InterVarsity Press, Downers Grove, Illinois, EUA.

Os textos bíblicos foram extraídos da *Nova Versão Transformadora* (NVT), da Tyndale House Foundation, salvo as seguintes indicações: *Almeida Revista e Atualizada*, 2ª edição (RA), da Sociedade Bíblica do Brasil; *Versão Fácil de Ler* (VFL), da World Bible Translation Center; e *A Mensagem*, de Eugene Peterson, da Editora Vida.

Todos os direitos reservados e protegidos pela Lei 9.610, de 19/02/1998.

É expressamente proibida a reprodução total ou parcial deste livro, por quaisquer meios (eletrônicos, mecânicos, fotográficos, gravação e outros), sem prévia autorização, por escrito, da editora.

Edição
Daniel Faria

Revisão
Natália Custódio

Produção e diagramação
Felipe Marques

Colaboração
Ana Luiza Ferreira
Marina Timm

Capa
Ricardo Shoji (adaptação)

CIP-Brasil. Catalogação na publicação
Sindicato Nacional dos Editores de Livros, RJ

P257m

Parham, Richella J.
  O mito da perfeição : liberte-se da exaustiva prática da comparação / Richella J. Parham ; tradução Angela Tesheiner. - 1. ed. - São Paulo : Mundo Cristão, 2021.
  192 p.

  Tradução de: Mythical me : finding freedom from constant comparison
  ISBN 978-65-5988-044-7

  1. Autoaceitação - Aspectos religiosos - Cristianismo. 2. Autoconfiança - Aspectos religiosos - Cristianismo. 3. Autorrealização - Aspectos religiosos - Cristianismo. I. Tesheiner, Angela. II. Título.

21-73749

CDD: 248.4
CDU: 27-4:159.947

Camila Donis Hartmann - Bibliotecária - CRB-7/6472

Publicado no Brasil com todos os direitos reservados por:

Editora Mundo Cristão
Rua Antônio Carlos Tacconi, 69
São Paulo, SP, Brasil
CEP 04810-020
Telefone: (11) 2127-4147
www.mundocristao.com.br

Categoria: Espiritualidade
1ª edição: dezembro de 2021

Para Jack, Will, Preston e Lee
com muito amor

Se de fato extrais do céu a tua luz,
Então, na medida dessa luz celestial,
Brilha, Poeta, em teu lugar, e contenta-te.

WILLIAM WORDSWORTH

Sumário

Parte 1 - O problema: Visão distorcida

1. A mítica mulher-amálgama   13
2. O que são comparações e por que as fazemos?   25
3. Os mitos em que acreditamos   41

Parte 2 - A promessa: Visão corrigida

4. A verdade sobre Deus   57
5. A verdade sobre nós mesmos   73
6. A verdade sobre os outros   89

Parte 3 - O caminho: Aprendendo a andar na luz

7. Fazendo as pazes com o passado   111
8. Mudando de opinião dia após dia   131
9. Avançando juntos   152
10. Uma visão ao longo do novo caminho   172

Agradecimentos   181
Notas   185

PARTE 1

O PROBLEMA
VISÃO DISTORCIDA

PARTE 1

O PROBLEMA
VISÃO DISTORCIDA

1

A mítica mulher-amálgama

Quanto não ganha em tranquilidade
quem não se preocupa
com o que o vizinho diz, faz ou pensa,
mas apenas com os seus próprios atos.

MARCO AURÉLIO

Hoje considero aquele dia de janeiro um dos mais importantes de minha vida, mas eu não sabia disso na época.

O dia começou com uma carona habitual.

Meu marido e eu estávamos casados havia quinze anos. Havíamos nos mudado com nossos três filhos para uma bela vizinhança. Muitos amigos da igreja moravam no quarteirão em torno, e foram gentis ao me convidar para ir com eles ao estudo bíblico da comunidade numa igreja do outro lado da cidade. Grata por ser incluída, entrei na *van* de minha amiga.

Naquela noite, contei a meu marido sobre o estudo bíblico e o passeio pela cidade. Minha descrição do estudo do Gênesis saiu salpicada de comentários como:

"Belinda é tão simpática e amigável. Quem dera eu tivesse o senso de humor que ela tem."

"Eu gostaria de ser mais como a Ann. Ela é incrivelmente organizada."

"Caramba, seria bom ser como a Jane. Ela é tão elegante e bonita! Queria ter a postura e as maneiras dela."

Por fim, meu marido me interrompeu.

— Richella, você se compara com todos que encontra. Seleciona as melhores características de cada pessoa e se avalia em contraposição a elas.

As palavras dele me irritaram, apesar de eu perceber que ele talvez tivesse razão.

O tempo que passei com minhas três amigas havia me dado uma ocasião para observar alguns de seus pontos fortes, que logo transformei numa oportunidade para ver que eu era mais fraca nessas áreas. A carona com elas havia se tornado uma chance para que eu notasse que não era tão amigável, organizada, elegante ou bonita quanto desejava.

Entretanto, o que meu marido disse a seguir me magoou de verdade.

— Você criou para si mesma uma mítica mulher-amálgama, e acredita que ela é o padrão que deveria atingir. Mas essa mulher não existe.

Uma mítica mulher-amálgama? Do que é que ele estava falando?

Quando o pressionei por mais informações, ele explicou que o que eu havia feito naquele dia com minhas amigas era típico de minha parte. Afirmou que eu vivia observando as pessoas ao redor, sempre notando suas qualidades mais marcantes.

— Bem, é claro que noto as qualidades marcantes delas. Dou grande valor às pessoas — eu me defendi.

— Mas aí você escolhe os melhores traços de cada uma e supõe que deveria possuir os mesmos traços. Você quer a gentileza dessa pessoa, a elegância daquela, a inteligência de uma, a sensibilidade de outra. E você faz o mesmo com as partes do corpo: admira o rosto dessa mulher, a cintura daquela, as pernas de uma outra. Você determina o ponto forte de cada pessoa e se mede em contraste com esses pontos fortes, e assim nunca chega à altura delas.

Ele continuou:

— Você está se comparando com uma amálgama de inúmeras mulheres, e estou lhe dizendo que não existe uma mulher assim. Você exige de si mesma um padrão impossível. Ninguém conseguiria ser tão perfeita quanto essa sua mítica mulher-amálgama.

Odeio admitir, mas ele estava certo.

Tendo vivido comigo por quinze anos, Jack havia notado um padrão que eu nunca havia discernido. Como uma ávida observadora de pessoas, eu sempre percebia o melhor naqueles que me cercavam: belos traços, talentos brilhantes, forças de caráter. Eu não entendia que estava me comparando com as melhores qualidades daqueles à minha volta.

Aquele dia começou com uma carona; terminou com bastante introspecção.

A estrada para as comparações constantes

Minha propensão a me comparar com outros não se desenvolveu do dia para a noite. Embora eu nunca a houvesse notado, meu marido observou minha tendência à comparação muito antes de apontá-la para mim. Só depois que compreendi a verdade nas palavras dele eu consegui admitir que tinha o hábito de tecer comparações, mas não tinha ideia do que fazer sobre isso.

Além disso, minha vida era bem ocupada: trabalho a fazer, três filhos pequenos para criar. Continuei a enfrentar o problema, bem alerta quanto aos pontos fortes de minhas amigas, mas, em geral, inconsciente quanto aos meus. Embora levasse uma vida cheia e ativa, a dúvida e o descontentamento me perseguiam. Amigos e mentores me incentivavam a relaxar,

16 • O MITO DA PERFEIÇÃO

a não me preocupar tanto, a ser mais confiante. Uma professora até escreveu este recado na folha de rosto de uma Bíblia que me deu de presente: "Deus tem grandes planos para você. Que Deus a abençoe conforme você vai crescendo e se desenvolvendo ao caminhar com ele. Enquanto isso, não seja tão severa consigo mesma".

Contudo, ser severa comigo mesma parecia ser a única resposta lógica a todas as comparações que eu fazia com as outras pessoas. Comecei a me perguntar se talvez os outros devessem ser mais severos consigo mesmos. (Sem dúvida, devia ser um prazer viver e trabalhar comigo.)

Após algum tempo, numa época em que enfrentava profundas dificuldades pessoais e de relacionamentos, compreendi que precisava de ajuda profissional. Busquei os serviços de uma terapeuta que me ajudou a investigar minhas ações e motivações de maneira mais completa do que eu conseguiria fazer sozinha.

Não é de surpreender que as raízes de meu problema se encontrassem na infância. Embora isso talvez soe banal, era verdade no meu caso. Nasci com a síndrome de Klippel-Trénaunay, um distúrbio extremamente raro que aflige muitos sistemas do corpo. A síndrome de Klippel-Trénaunay se caracteriza por um sinal vermelho de nascença chamado mancha em vinho do Porto, pelo crescimento exagerado de ossos e tecidos moles, e por diversas deformidades nas veias. A condição é tão rara que meus pais nunca conseguiram descobrir exatamente o que havia de errado comigo.[1] Eles me levaram a especialistas que realizaram todo tipo de exames, mas ninguém diagnosticou minha condição. Hoje os médicos sabem que essa síndrome é causada por uma mutação no gene PI3KCA, mas quando eu nasci não se sabia quase nada a respeito dessa mutação. Só depois de adulta, quando tive um filho, aprendi o nome desse distúrbio.

Eu só sabia que era deformada. E sabia muito bem disso.

Em casa, na vizinhança, na escola, no parquinho, na escola dominical, na piscina, nas reuniões de escoteiras — aonde quer que fosse, eu comparava minha aparência com a de todos os que eu via. Ninguém se assemelhava a mim.

Eu possuía o maior sinal de nascença do mundo, ou assim me parecia. O pé, a perna, o quadril e o tronco do lado direito estavam cobertos por uma enorme mancha em vinho do Porto. Para piorar, essas mesmas partes do corpo eram também alargadas e deformadas. Minha coxa direita era seis centímetros mais larga do que a esquerda.

De vez em quando, minhas amigas e eu conversávamos sobre sinais de nascença. Uma tinha uma mecha de cabelo de cor diferente. Outra tinha uma leve descoloração no pescoço. Uma terceira tinha uma mancha marrom no braço. Ninguém mais, porém, exibia um sinal de nascença como o meu.

Quando eu vestia calças compridas, ninguém via o sinal. No entanto, quando trajava vestido, *shorts* ou maiô, eu me sentia uma aberração. Bem quando eu me convencia de que meu sinal de nascença não era importante, outra pessoa me fitava, apontava, dava risada ou estremecia ao notá-lo.

Aprendi da forma mais difícil que as pessoas podem ser cruéis, mesmo quando não têm essa intenção. Depois de flagrar tantos apontando e sussurrando durante a infância, me acostumei aos olhares e às perguntas. Aprendi a lidar com a curiosidade alheia sem tanto embaraço. Ao olhar de preocupação seguido por "Você se queimou?" ou "Isso foi hera venenosa?", eu conseguia, em geral, replicar com um sorriso. Contudo, mesmo depois de adulta, alguns comentários feriam fundo.

18 • O MITO DA PERFEIÇÃO

Por muitos anos, trabalhei num escritório em que as mulheres quase sempre trajavam vestidos e saias. Uma colega me perguntou se meu sinal de nascença incomodava. Surpreendida pela pergunta, respondi em tom apático:

— Acho que já me habituei.

— Por que você não usa meia-calça? — indagou a colega.

Estou certa de que a sugestão foi bem-intencionada, por isso dei de ombros e sorri, desejando, em segredo, me esconder embaixo da mesa.

Recordo-me em particular de um dia de verão quando eu tinha cerca de trinta anos. Estava fazendo compras, empurrando meus filhos pequenos num carrinho, quando uma mulher me deteve, apontando para meu sinal de nascença, e berrou:

— O que há de errado com sua perna?!

É provável que a tenham escutado do outro lado do mercado. Por fora, mantive a calma e lhe respondi com educação. Por dentro, tive vontade de atropelá-la com o carrinho de compras.

Por muitos anos, não compreendi o quanto eu havia internalizado o sentimento de insegurança a respeito de minha aparência. Entretanto, não há como negar que, quando eu admirava a aparência de outras mulheres, as pernas eram o primeiro elemento que me chamava a atenção. Não importa como minha mítica mulher-amálgama se pareça em determinado dia, ela sempre — sempre — possui pernas perfeitas. E nunca exibiu nenhum sinal de nascença.

A armadilha da comparação

Meu sinal de nascença foi só o começo da história. Logo de início, a necessidade de lidar com ele estabeleceu a rota para que eu me comparasse com outros, sempre encontrando defeitos em mim, desejando ser capaz de alterar as partes que eu considerava menos dignas. O que começou com meu sinal de nascença se transformou num padrão de comportamento que me acompanharia por muitos anos.

Sem jamais conseguir me aceitar, eu me comparava o tempo todo com aqueles ao meu redor. Não encontrava nenhuma satisfação, muito menos contentamento ou alegria, nas condições de meu corpo, mente ou espírito. Por mais que tentasse, nunca conseguia viver à altura de meus próprios padrões sempre em mutação.

Nos anos desde aquela conversa com meu marido, dei-me conta muitas vezes de como a observação dele foi astuta, e de como eu havia me feito infeliz. Por algum tempo, pensei que deveria ser a única pessoa angustiada por causa desse tipo de tendência; decerto, ninguém mais se sujeitaria a esse tormento.

Com o passar do tempo, porém, comecei a notar que outros também pareciam se debater com as comparações.

Uma jovem com quem trabalho estava se saindo bem na pós-gradução, mas com frequência sentia que deveria ser tão organizada quanto a melhor amiga dela, tirar notas tão altas nas provas quanto um dos colegas de classe, e escrever tão bem quanto o melhor aluno da turma.

Uma amiga querida com filhos pequenos se preocupava por não ser tão assertiva quanto a irmã, tão criativa quanto a professora de primeira série do filho, e tão espontânea e divertida quanto a vizinha.

Um colega de ministério acreditava que deveria ser um acadêmico melhor como seus professores no seminário, um ouvinte mais solidário como seu orientador, e que sua congregação deveria ser tão numerosa quanto a da igreja no fim da rua.

20 • O MITO DA PERFEIÇÃO

Todos vivemos com a suposição de que somos menos do que aceitáveis, de que deveríamos ser como outras pessoas, de que deveríamos ser diferentes e melhores. Nossos julgamentos às vezes são ilógicos, até mesmo irracionais. Comparamos nossos esforços amadores com a experiência profissional de alguém, nossa situação de iniciante com a posição avançada de outro. Nós nos pesamos na balança e sempre concluímos que nos falta algo.

Ao observar a mim mesma e a meus amigos, percebi que esse jeito de viver era absolutamente exaustivo. Tentar estar à altura de tantos padrões diferentes não nos ajuda a atingir esses padrões; apenas nos cansa.

Com ardor, eu lia estas palavras de Jesus:

> Venham a mim todos vocês que estão cansados e sobrecarregados, e eu lhes darei descanso. Tomem sobre vocês o meu jugo. Deixem que eu lhes ensine, pois sou manso e humilde de coração, e encontrarão descanso para a alma. Meu jugo é fácil de carregar, e o fardo que lhes dou é leve.

> Mateus 11.28-30

Comparar-me o tempo todo a outros representava um fardo pesado. Jesus oferecia um fardo mais leve. Percebi que, se desejasse erguer o fardo leve que Jesus prometia, eu precisaria me livrar da carga de me comparar a outros o tempo todo. No entanto, como eu conseguiria largar esse fardo? Eu já estava habituada demais à vida da comparação. Era o único caminho que eu conhecia.

Busquei orientação sobre como combater o problema das comparações constantes. Descobri que professores bem-intencionados às vezes se referiam a esse assunto, mas que, em geral, seus conselhos seguiam estas tendências:

- "Você não deveria se comparar a outros, pois nunca sabe a verdade sobre qualquer um que não seja você mesma."
- "Você não pode se comparar com ninguém mais, pois é única."
- "Seja você mesma; a personalidade de todos os outros já tem dono."
- "Você é uma criação de Deus, e Deus só criou uma versão de você."
- "As pessoas são como flocos de neve; não existem dois iguais. Por isso, você não deve se comparar a ninguém mais!"

Todos esses conselhos talvez sejam verdadeiros e sábios, eu sei. Às vezes, eles me animavam; outras vezes, apenas me irritavam.

O pior era que não ajudava.

Eu queria parar de me comparar a outros, mas não conseguia deixar de admirar as conquistas desse, a personalidade daquele, as habilidades de um, os relacionamentos de outro. Para não falar de como eu olhava para a aparência de outras pessoas.

A despeito de meus melhores esforços, não consegui seguir os conselhos que ouvi. Era incapaz de viver à altura de qualquer um daqueles lemas cativantes. Sentia-me perseguida pelas qualidades admiráveis de outras pessoas, certa de que nunca rivalizaria seu mérito. Por mais assertivos ou bem-intencionados que fossem os conselhos, percebi que a maioria não me ajudava a mudar meus pensamentos, sentimentos ou ações. Eu me sentia inspirada ao assistir a uma palestra ou ler um artigo, mas em pouco tempo regredia ao velho hábito das comparações constantes.

Era como se as comparações me mantivessem presa numa armadilha de urso. Quanto mais eu me debatesse para me libertar, mais as mandíbulas de aço se apertavam.

Meu marido havia tentado me ajudar a parar de me comparar a outros. Minha terapeuta havia me ajudado a entender as raízes de minha tendência a tecer comparações. Eu havia lido artigos, assistido a palestras e feito resoluções. Intelectualmente, sabia que precisava parar de me comparar a outros, mas, por mais que tentasse, não conseguia largar o hábito. Era incapaz de aliviar o fardo.

Por isso, comecei a estudar mais a fundo do que nunca a questão das comparações, na esperança de que, caso conseguisse entendê-la, eu seria capaz de desmantelá-la e descarregá-la. Estudei, orei e fiz perguntas, questionando por que eu — e muitas de minhas amigas — demonstramos tamanha propensão às comparações.

Compreendi que alguns tipos de comparações são bem úteis. Nós as empregamos todos os dias, de uma forma ou de outra, e as consideramos proveitosas. Então por que às vezes nos comparar a outros nos oprime e nos drena a alma? E se esse hábito é tão destrutivo, como podemos eliminá-lo?

Eu estava determinada a descobrir.

A criação de mitos

Com um grau de honestidade pouco familiar e, com frequência, desconfortável, percebi que minha tendência a me comparar a outras pessoas havia deturpado minha visão. Eu não enxergava o mundo com clareza, e, como resultado, acabei desenvolvendo várias crenças distorcidas. Ao me comparar de forma contínua a outros, eu havia me treinado para acreditar em noções que não eram verdadeiras.

Eu pensava muito a meu próprio respeito, em especial sobre minhas deficiências, e acreditava com firmeza em vários *mitos sobre mim mesma*. Entre outras coisas, acreditava que precisava ser perfeita, que não havia jeito de eu descansar, e que deveria obter o sucesso sozinha.

Minha tendência às comparações constantes também resultou em problemas com o que eu entendia sobre o Senhor. Eu havia elaborado *mitos sobre Deus*. Acreditava que Deus exigia a perfeição, que ele se desapontava comigo quando eu fracassava, e que ele esperava que eu tentasse me consertar.

E me comparar aos outros ao redor havia me levado a crenças arraigadas sobre as pessoas e meus relacionamentos com elas — eu acreditava em *mitos sobre os outros*. Embora houvesse muitas pessoas que eu admirava e estimava, nunca me ocorreu que elas pudessem me valorizar também, que me considerassem atraente ou que quisessem se relacionar comigo.

Bem treinada por todos esses mitos, nunca percebi o dano que me causavam no coração e na alma. Comparar-me sem trégua a outras pessoas e lutar para me tornar uma amálgama de todas as suas melhores características cobrava um preço elevado de cada uma de minhas amizades e prejudicava meu relacionamento com os familiares, com as amigas e com Deus.

Meu hábito de me comparar a outros era tão predominante que afetava quase tudo em minha vida. Eu me sentia perdida num labirinto, incapaz de ver um meio de escapar. Mesmo assim, agarrei-me em desespero à esperança de que havia uma saída. Decerto, eu acreditava, deve haver um caminho para a liberdade, desde que eu consiga encontrá-lo.

E, na realidade, o caminho para a liberdade não é um mito. Há uma saída.

O caminho não é sempre fácil de seguir. Às vezes, dou grandes passadas à frente; outra vezes, escorrego para trás. Na maior parte do tempo, avanço centímetro a centímetro. Contudo, progredi bastante desde a carona daquela manhã. E, embora meu problema fosse mais profundo do que eu imaginava, encontrar a saída ofereceu uma liberdade que jamais imaginei.

PARA REFLEXÃO E DISCUSSÃO

Ao fim de cada capítulo, você encontrará algumas perguntas para reflexão pessoal ou para discussão em grupo, assim como um exercício para levá-la mais a fundo nos temas do capítulo e na prática espiritual.

1. Você já se sentiu presa numa armadilha de comparações?
2. Você tentou escapar de sua própria armadilha de comparações? Como?
3. Você já se comparou a uma amálgama mítica e ideal de quem e como você deveria ser? Se já fez isso, descreva como essa mítica pessoa-amálgama se parece e age.
4. Com que frequência essas comparações lhe vêm à mente? Durante uma semana, anote num diário ou reserve alguns minutos à noite para analisar o dia, prestando atenção especial a quando e onde esses pensamentos lhe ocorreram. Não se repreenda por esses momentos. Apenas respire fundo e ofereça-os a Deus. Caso esteja se reunindo com um grupo, conversem sobre o que estão percebendo.

2

O que são comparações
e por que as fazemos?

A vida do homem se torna uma cadeia ininterrupta
de movimentos ditados pelo desejo ansioso por garantias.

KARL BARTH

Bip… bip… bip… bip.

Depois de posicionar a cadeira de vinil como uma cama portátil, arrumar um travesseiro e um cobertor extras, e cobrir a janela com uma toalha, consegui enfim adormecer num canto do quarto de meu filho no hospital quando um alarme soou.

Com olhos turvos, dirigi-me até as luzes piscantes enquanto uma enfermeira do turno da noite entrava no quarto. Uma das medicações intravenosas que meu filho estava recebendo precisava ser ajustada. Zonzo por causa dos remédios contra dor, ele mal notou quando a enfermeira examinou a agulha e reativou o monitor. O silêncio foi restaurado.

Retornei à cama e me acomodei de novo. Tinha acabado de cair no sono quando soou outro aviso de *"Bip! Bip!"*. A saturação do oxigênio de meu filho havia despencado de maneira perigosa, disparando outro alarme estridente.

Ao longo de toda a noite esse padrão prosseguiu. Auxiliares de enfermagem em vigília entravam e saíam, verificando a temperatura e a pressão sanguínea. Enfermeiras monitoravam as condições. Um técnico de laboratório nos acordou nas primeiras horas da manhã, colhendo tubos de sangue para exame. O médico assistente e um bando de estudantes se amontoaram em torno da cama de meu filho antes do nascer do sol, lendo com cuidado o prontuário e examinando-o.

Meu filho havia acabado de passar por uma cirurgia cardíaca. Embora me sentisse ansiosa e exausta por causa de toda a atividade no quarto do hospital, eu sabia que medir as várias funções do corpo de meu filho no estado pós-cirúrgico era crucial para que ele se curasse. É possível avaliar com precisão as funções corporais normais e saudáveis. Diversos instrumentos de medida foram utilizados para comparar os números de meu filho com os que seriam ideais, e foram realizados ajustes na medicação e nas técnicas de tratamento quando necessário.

Nesse caso, as comparações salvaram uma vida.

Ao voltarmos para casa, cuidei de meu filho enquanto ele se recuperava. Minha irmã, Deneen, que Deus a abençoe, veio me ajudar naqueles primeiros dias difíceis depois que ele recebeu alta do hospital. Uma cozinheira de primeira linha, ela se deleitou em convencer meu filho a comer. Ele demonstrava pouco apetite e forças bem reduzidas, mas a tia Deneen aceitou com prazer o desafio de seduzir seu paladar.

Ele estava com frio? Uma boa tigela quente de sopa caseira o aqueceria. Precisava de comida macia, fácil de engolir? Talvez ele apreciasse um pouco de um delicioso pudim cremoso caseiro. Fraco por causa da anemia? Sem problema: filé de frango preparado na frigideira injetaria uma boa dose de ferro em seu organismo.

Observei o trabalho de minha irmã, anotando as receitas dos pratos prediletos de meu filho. Ela utilizou duas xícaras exatas de farinha e oito colheres de sopa de manteiga para criar biscoitos levíssimos. Anotei cada medida para conseguir reproduzir aquelas obras-primas depois que ela voltasse para sua casa. Sempre que ela especificava uma medida ou técnica, eu seguia as instruções com precisão, comparando com meticulosidade o meu trabalho com o que observei do dela. Você pode imaginar como me senti orgulhosa ao reproduzir algumas das obras-primas culinárias de Deneen.

Nessa ocasião, as comparações me deram vida.

Alguns tipos de comparação exigem medições menos precisas, mas também se provam úteis. Quando professores nos ensinam habilidades, imitamos seu desempenho. Não importa se estamos aprendendo a escrever, atirar uma bola, amarrar uma echarpe ou manejar um martelo, o fato é que comparamos nossos esforços com as técnicas do especialista, tentando praticar a habilidade exatamente como ele as demonstra.

Todos os tipos de competição são comparações da capacidade ou do desempenho de uma pessoa ou equipe em relação à outra. Desde os concursos ortográficos do jardim da infância até os esportes profissionais, os competidores comparam suas capacidades com as de outros. O lema das Olimpíadas consiste, aliás, em três termos de comparação: *Citius, Altius, Fortius* (em latim, "mais rápido, mais alto, mais forte"). Até mesmo a gramática define esse tipo de estrutura como adjetivos em grau comparativo.

Em todas essas situações, as comparações aprimoram a vida.

Então qual é o problema?

"A comparação é o ladrão da alegria." Essas palavras, em geral creditadas a Theodore Roosevelt, aparecem em cartões comemorativos, cartazes inspiradores, amostras de bordado e até em canecas de café. Muitos de nós podemos confirmar a verdade dessas palavras por meio de nossa própria experiência.

Se nos comparar a outros é um problema tão grande para tantos de nós, será que deveríamos parar com todo tipo de comparações? Seria possível evitarmos ter nossa alegria roubada se tão somente nos recusássemos a participar de qualquer tipo de comparação? A comparação é pecado?

Não penso que seja.

Muitas vezes, a comparação a um ideal é uma prática benéfica, não daninha. As comparações benéficas são aquelas que colocam uma condição normal ou ideal num dos pratos da balança e uma condição da vida real no outro, na esperança de obter um equilíbrio.

Ao andar de ônibus dia após dia em Montgomery, no estado do Alabama, na década de 1950, Rosa Parks comparou o espaço do ônibus onde era permitido que ela e as outras pessoas de cor se sentassem com as fileiras onde os passageiros brancos podiam se sentar. Aquela comparação alimentou seu descontentamento com uma situação que precisava ser mudada. Por fim, ela reuniu a coragem para desafiar uma lei injusta. A ação da sra. Parks é um bom exemplo desse tipo de comparação, que revela a injustiça e ressalta a necessidade de mudanças.

A comparação também é uma ferramenta valiosa na descrição e na comunicação. Já que "uma imagem vale por mil palavras", algumas palavras de comparação conseguem pintar uma imagem vívida em nossa mente. Compreendemos bem rápido expressões como "cego como uma toupeira", "leve como uma pluma" ou "forte como um touro". Jesus empregou esse tipo de comparação com frequência ao explicar conceitos complicados aos discípulos. "O reino dos céus é como uma semente de mostarda" ou "O reino dos céus é como o fermento", ele dizia, e os ouvintes captavam um pouco do que ele queria dizer.

Às vezes, tecemos comparações ao empregar imagens em vez de palavras, como quando mostramos a um cabeleireiro uma fotografia do estilo de penteado que desejamos: "Corte meu cabelo desse jeito", solicitamos, e o cabeleireiro sabe o que fazer.

Todos esses são exemplos de comparações que envolvem condições, ações ou objetos; não são comparações entre seres humanos. Então talvez possamos afirmar que todas as comparações entre pessoas devam ser evitadas?

Não, também não creio que seja isso.

Os eleitores comparam candidatos ao eleger seus líderes. As pessoas comparam parceiros em potencial ao escolher quem querem namorar. Professores comparam os candidatos do vestibular para determinar quem será aceito na faculdade. Empregadores comparam candidatos para decidir quem receberá uma oferta de emprego. Esses tipos de comparação mudam vidas, mas são essenciais.

Por outro lado, essas comparações nem sempre são justas; às vezes são terrivelmente preconceituosas. E algumas comparações entre pessoas são ameaçadoras, brutais ou até malignas. Por exemplo, além de assassinar judeus e outras pessoas que classificavam como indesejáveis, os seguidores de Adolf Hitler desenvolveram um sistema horroroso de comparação. Na busca da "raça superior" ariana, os nazistas produziram gráficos sofisticados de características físicas que eram utilizados para classificar os alemães como mais ou menos desejáveis ou qualificados para posições específicas. A cor dos olhos, a cor dos cabelos e outras características físicas de cada pessoa eram comparadas com esses gráficos. Esses tipos de comparação mudavam vidas ou até as colocavam em perigo.

Entretanto, a comparação em si é apenas uma ferramenta. Como qualquer outra ferramenta, a comparação possui valor neutro. Pode ser empregada para o bem com a mesma facilidade com que pode ser utilizada para o mal.

Talvez a expressão devesse ser "A comparação, quando mal empregada, é o ladrão da alegria". Só que isso não ficaria tão bem num cartaz, não é?

Um comportamento aprendido

Por que a comparação é uma ferramenta tão conveniente? Por que nos compararmos a outros é algo tão fácil de fazer? Por que alguém como eu passa com tanta naturalidade a se comparar a outros?

Embora minha doença física contenha uma pista para minha tendência a comparações, imagino que outra parte da resposta resida na forma como fui ensinada quando criança. Meus pais e professores comparavam minhas ações às de outros com o intuito de me encorajar a aprender uma habilidade ou agir de certa maneira. Eu escutava frases como:

"Fique quieta como a sua irmã."

"Pinte por dentro do contorno como a Susie."

"Atire a bola como o Bobby."

Às vezes, as instruções eram transmitidas em tom de frustração ou exasperação, mas em outras eram apenas uma questão de prática. Com frequência, a maneira mais fácil de explicar algo a uma criança é fornecer um modelo de comportamento, indicando-lhe o que outra pessoa está fazendo.

Essas instruções provinham de boas intenções, pelo menos no meu caso. Afinal, meus pais amorosos e meus professores bondosos queriam me inspirar. Estavam me incentivando a aprender ou a aprimorar certos comportamentos ou ações, e indicavam os comportamentos ou ações de outros como modelos nos quais eu poderia me inspirar.

Em cada um desses exemplos, o comportamento ou ação da outra pessoa foi apontado como sendo ideal. Minha tarefa, em meu entender, era me equiparar o máximo possível àquelas normas.

A estratégia funcionou. Aprendi a ficar quieta, a pintar dentro do contorno, a atirar uma bola. A comparação é uma ferramenta conveniente. Contudo, deixou um legado não intencionado.

Para ser justa, suponho que meus pais e professores às vezes me usavam como exemplo também. Talvez oferecessem instruções como "Preste bastante atenção, como a Richella" ou "Esforce-se na lição de casa, como a Richella", mas frases desse tipo não ficaram gravadas em minha memória.

O que permaneceu foram todas as maneiras pelas quais eu não me equiparava aos outros.

É difícil especificar quais seriam as condições ideais em muitos aspectos da vida, não é verdade? Talvez eu devesse ser capaz de caminhar um quilômetro em menos de dez minutos, ou de digitar pelo menos sessenta palavras por minuto, mas o que eu deveria pensar da minha aparência? Como devo me sentir sobre minha personalidade? Como posso acessar minhas dádivas e talentos? E quanto aos relacionamentos? Conflitos? Grandes decisões?

Diante de questões como essas, utilizei a ferramenta familiar de me comparar a outros. No entanto, o método que me servia bem para desenvolver novas habilidades deixava, agora, muito a desejar.

E, com o passar do tempo, essa ferramenta se tornou cada vez mais fácil de utilizar.

32 • O MITO DA PERFEIÇÃO

Nossa tecnologia do século 21, ao mesmo tempo que expande nossos horizontes, nos permite acesso exponencialmente maior a objetos de comparação. Com um simples clique, lemos as mensagens de amigos e estranhos no Facebook, vemos suas fotografias no Instagram, ou estudamos suas publicações no Pinterest. Embora essas plataformas possam ser utilizadas para inspiração e criação de comunidades, elas também fornecem os meios para que nos comparemos de forma cada vez mais implacável ao que outros publicam ou promovem. E uma vez que cada um desses programas está disponível como um aplicativo conveniente para nossos celulares, levamos conosco o tempo todo nossas caixas de ferramentas de comparação.

Maureen O'Connor escreveu o artigo "As seis maiores ansiedades das redes sociais" para a *New York Magazine*, e essas ansiedades incluem, no Facebook, o medo do fracasso pessoal; no Twitter, o medo de parecer estúpido; no Instagram, o medo de perder oportunidades; e no Pinterest, o medo da inadequação doméstica.[1] Em um artigo para a revista *Relevant*, em que cunhou o termo "transtorno de comparação obsessiva", Paul Angone escreveu: "A comparação sempre foi prevalente. Agora, porém, com a internet e as redes sociais, nosso problema com a comparação foi elevado a alturas globais [...]. Hoje temos a oportunidade de nos comparar a todos. Todos. Os. Dias".[2]

Não importa se a comparação é o ladrão da alegria ou que apenas a roube quando mal empregada, o fato é que muito de nossa alegria está sendo surrupiada.

Desejando o amor

É evidente que alguns tipos de comparação geram alegria em vez de levá-la embora; essas são esclarecedoras, motivadoras e estimulantes. Entretanto, as comparações com que lutei por anos não me trouxeram nenhum desses resultados. Em vez de clareza, motivação e energia, enfrentei descontentamento, constrangimento, vergonha e ciúmes. O tempo todo eu me avaliava utilizando outra pessoa como modelo. Eu media cada parte de meu corpo empregando outra pessoa como parâmetro. Acessava cada aspecto de minha vida julgando a característica correspondente de outra pessoa.

As comparações que roubam a alegria são os julgamentos que emitimos sobre nós mesmos em relação a outros. Em termos psicológicos, são as chamadas comparações sociais. Um artigo de 2017 publicado na revista *Psychology Today* explica: "A teoria da comparação social foi sugerida pela primeira vez em 1954 pelo psicólogo Leon Festinger, que formulou a hipótese de que tecemos comparações como um meio de nos avaliarmos. Em sua raiz, o impulso está conectado aos julgamentos instantâneos que fazemos sobre outras pessoas — um elemento fundamental da rede de cognição social do cérebro".[3] Um especialista em comportamento organizacional afirma que a comparação social é "uma das formas mais básicas que desenvolvemos para entendermos quem somos, no que somos bons e no que não somos nada bons".[4] Se esses cientistas comportamentais estiverem corretos, a comparação é apenas uma tendência humana — que fornece uma quantidade considerável de informações, mas que também produz uma grande quantidade de ansiedade. Quando utilizamos a aparência, as posses, as conquistas e as circunstâncias de outras pessoas como nosso ponto de referência para avaliar como nos parecemos, o que possuímos, o que conquistamos e até mesmo quem somos, permitimos que nossa alegria nos seja tomada.

34 • O MITO DA PERFEIÇÃO

Então por que empregamos a ferramenta da comparação em nós mesmos? Por que recorremos a essas avaliações? O que estamos tentando provar?

Embora as respostas para essas perguntas talvez sejam bem complicadas, creio que a maioria delas se resume ao fato de que os seres humanos sentem um desejo profundo de serem amados e aceitos. Raj Raghunathan escreve em artigo para a *Psychology Today*: "Todos nós nutrimos um desejo intenso de sermos amados e acalentados. A necessidade de ser amado, como experimentos [...] demonstraram, poderia ser considerada uma das necessidades mais básicas e fundamentais".[5] Brené Brown, autora e pesquisadora da Universidade de Houston, confirmou por meio de anos de estudo que "uma sensação profunda de amor e de pertencer a uma comunidade é uma necessidade irredutível de todas as pessoas".[6]

A boa notícia para os seguidores de Cristo é que a Palavra de Deus oferece repetidas vezes a garantia de seu amor. Os salmistas cantam sobre o amor de Deus. Os profetas o proclamam. Os apóstolos o explicam: "E estou convencido de que nem morte nem vida, nem anjos nem demônios, nem o que existe hoje nem o que virá no futuro, nem poderes, nem altura nem profundidade, nada, em toda a criação, jamais poderá nos separar do amor de Deus revelado em Cristo Jesus, nosso Senhor" (Rm 8.38-39).

Todavia, apesar de tantas dessas garantias, muitos de nós sentimos dificuldades para acreditar nelas. Sim, claro, afirmamos que Deus é amoroso, mas achamos difícil acreditar que ele *nos* ama.

Além de nosso desejo profundo de sermos amados, também enfrentamos uma sensação de que algo não está certo conosco. Sabemos que Deus forneceu leis para governar sua criação, e sabemos que violamos essas leis. Mesmo que não saibamos citar decretos específicos, temos uma sensação inata de certo e errado, e reconhecemos que nem sempre agimos corretamente. Lemos que "todos pecaram e não alcançam o padrão da glória de Deus" (Rm 3.23), e não nos surpreendemos; sabemos que é verdade.

A Palavra de Deus também trata dessas preocupações, garantindo-nos a misericórdia e o perdão de Deus. "Deus nos prova seu grande amor ao enviar Cristo para morrer por nós quando ainda éramos pecadores" (Rm 5.8).

Entretanto, até mesmo aqueles de nós que acreditam com convicção que a Bíblia é verdadeira talvez enfrentem dificuldades para aceitar que essas grandes verdades se apliquem a nós mesmos. *Queremos encarecidamente amor e aceitação, mas duvidamos que sejamos dignos de amor e aceitação.* Somos inseguros de nós mesmos.

Essa insegurança é nosso ponto de partida, e procuramos modos de lidar com ela.

Muitas vezes, tentamos acalmar nossas dúvidas observando outras pessoas. Talvez vejamos uma amiga que aceita uma proposta de casamento. Ou um casal com belos filhos. Ou um empresário cuja empresa está crescendo. Ao observar os que nos rodeiam, percebemos que outras pessoas são amadas e aceitas, por isso raciocinamos que elas devem ser dignas de amor e aceitação. A partir daí, nós as utilizamos como ponto de referência para nos avaliar, empregando nosso método bem conhecido das comparações para determinar se nos equiparamos a elas.

Contudo, a comparação — essa ferramenta conveniente e eficaz para cumprir muitas das tarefas e dos desafios da vida — não é um bom dispositivo para lidar com essas dúvidas.

36 • O MITO DA PERFEIÇÃO

Seja qual for o aspecto que estejamos medindo em nós mesmos, comparar-nos a outros leva, em geral, a um dentre dois resultados: 1) nós nos sentimos *inferiores*, o que resulta em vergonha, autopiedade, ingratidão, ciúmes ou inveja; ou 2) nos sentimos *superiores*, o que acarreta presunção, arrogância ou desdém pelos outros.

Embora as comparações sejam uma ferramenta de valor neutro, esses resultados não são neutros de forma nenhuma. São avassaladores. A comparação em si não é pecado, mas pode com muita facilidade levar ao pecado.

Quem sabe a maior ironia seja que nos comparamos a outros porque estamos em busca de garantias. Nós nos sentimos inseguros, e utilizamos a comparação numa missão para conquistar a sensação de segurança. No entanto, a comparação não fornece garantias. Ela nos deixa com a sensação não de sermos amados e abençoados, mas de sermos inferiores ou superiores.

A verdade é que a insegurança é tanto a *raiz da comparação* quanto o *fruto da comparação*.

Insegurança → Comparação → Insegurança →
Mais Comparações → Insegurança Maior

Não é possível interromper esse ciclo vicioso com citações inspiradoras e motivacionais. Saber apenas que a comparação é um ladrão da alegria não nos habilita a parar de nos compararmos a outros.

Não é de espantar que seja um ciclo tóxico. O ato de comparar afasta nosso olhar de Deus e o coloca sobre nós mesmos e sobre as pessoas com quem nos comparamos. Justamente quando mais precisamos ver e entender o amor de Deus, e começar a "compreender a largura, o comprimento, a altura e a profundidade do amor de Cristo" (Ef 3.18), olhamos para outro lado. Justamente quando manter os olhos fixos em Deus revelaria a bondade e misericórdia dele, nos voltamos para outro lugar. E essa falta de foco em Deus é devastadora, pois a alegria provém de Deus.

Salmos 16.11 louva o Senhor: "Tu me mostrarás o caminho da vida e me darás a alegria de tua presença e o prazer de viver contigo para sempre". Jesus afirmou a seus discípulos: "Eu lhes disse estas coisas para que fiquem repletos da minha alegria. Sim, sua alegria transbordará!" (Jo 15.11).

Enfatizando essa verdade, Dallas Willard escreve:

> Um Deus alegre preenche o universo. *Alegria* é a palavra derradeira que descreve Deus e o mundo dele. A criação representou um ato de alegria, de deleite pela bondade do que ele realizou. É precisamente porque Deus é assim, e porque sabemos que ele é assim, que uma vida de pleno contentamento é possível.[7]

Decerto a alegria é uma das dádivas que Deus quer nos dar. Aliás, a alegria é listada em Gálatas 5.22 como um fruto do Espírito Santo. Junto com amor, paz, paciência, amabilidade, bondade, fidelidade, mansidão e domínio próprio, a alegria deve ser um sinal distintivo da vida em harmonia com o Espírito de Deus. Eugene Peterson escreve que a alegria "é o que vem a nós quando trilhamos o caminho da fé e da obediência".[8] Contudo, quando nos comparamos a outros, nosso olhar se transfere de Deus para nós mesmos e para os objetos de nossas comparações, diminuindo a alegria da conexão com Deus.

As barreiras da comparação

Além de nos distrair da bondade do amor de Deus, a comparação nos afasta das outras pessoas.

38 • O MITO DA PERFEIÇÃO

A alegria é às vezes utilizada como sinônimo de felicidade, um assunto estudado a fundo por psicólogos, psiquiatras e neurologistas. O Estudo sobre o Desenvolvimento Adulto da Universidade Harvard pesquisou durante oitenta anos o bem-estar de diversos alunos já formados pela instituição. O estudo revelou que "são os relacionamentos mais próximos, mais do que o dinheiro ou a fama, que mantêm as pessoas felizes pela vida toda".[9]

A comparação nos coloca num prato da balança e a outra pessoa no outro prato. Por sua própria natureza, a comparação nos separa dos outros em vez de nos conectar a eles. Precisamos do companheirismo de outras pessoas, mas rompemos esse companheirismo com a comparação. Comparar é um ato de separação, não de construir relacionamentos. Bem quando precisamos sentir o abraço dos outros, nós nos distanciamos deles, ou até nos colocamos contra eles.

Essas comparações — avaliações que brotam da insegurança e que levam a uma insegurança ainda maior, análises que afastam nosso olhar de Deus e que nos separam uns dos outros — são mesmo ladrões da alegria. Elas roubam nossa alegria porque perturbam as conexões vitais — as fontes de alegria — em nossa vida.

* * *

Algumas de minhas lembranças mais vívidas da infância envolvem meu sinal de nascença: quando vi outras crianças apontando, entreouvi adultos sussurrando e ouvi um médico exclamar: "Ai, meu Deus!" ao ver minha perna. Todos esses momentos permanecem gravados em minha memória.

Bem que eu queria ser capaz de dizer que eventos como esses estão todos no passado distante, mas algumas de minhas memórias recentes também envolvem meu sinal de nascença. Há não muito tempo, ao passar pelo *scanner* corporal num posto de controle do aeroporto, o segurança me chamou à parte. Visto que um lado de meu corpo é maior do que o outro, o *scanner* revelou que as duas metades não correspondiam uma à outra, a um grau que, pelo jeito, indicava que eu era uma ameaça em potencial.

Outros viajantes atravessaram o posto de controle sem nenhum problema enquanto eu aguardava, constrangida e desconcertada, até que uma segurança do sexo feminino viesse me revistar. Minha condição física não representava nenhum perigo aos demais passageiros; apenas meu orgulho e senso de autoestima foram ameaçados.

Na há dúvida: o constrangimento quanto a meu sinal de nascença me levou a essa insegurança profunda, que tornou o caminho da comparação tão fácil de trilhar. Talvez eu estivesse destinada a ser o exemplo-mor da comparação.

No entanto, esse não é um bom jeito de viver.

PARA REFLEXÃO E DISCUSSÃO

1. Você concorda que alguns tipos de comparação são bons e úteis? Por quê? Que tipos de comparação têm sido úteis para você? Que comparações têm sido prejudiciais?

2. Como as comparações têm afetado suas emoções? Suas decisões? Sua percepção de si próprio e dos outros? Seus relacionamentos?

3. Como se comparar a outros afetou seu relacionamento com Deus?

4. Você concorda que sua insegurança é tanto a raiz como o fruto da comparação? Por que sim, ou por que não?

40 • O MITO DA PERFEIÇÃO

5. Faça uma autoauditoria de suas redes sociais. Durante três dias, escreva uma mensagem rápida sobre seu estado mental e emocional depois de utilizar as redes. O que você percebe? Existem maneiras de se envolver com as redes sociais que sejam mais ou menos tóxicas para você? Se for esse o caso, identifique-as.

3

Os mitos em que acreditamos

Ideias erradas sobre Deus impossibilitam
que nossos relacionamentos funcionem bem.

DALLAS WILLARD

Quando eu tinha oito anos de idade, minha família se mudou da cidade grande para o campo. Compramos uma pequena casa situada em vários acres de pasto, que alugamos para um homem das redondezas que criava gado.

O velho celeiro no meio daquele pasto fornecia a minha irmã e eu horas intermináveis de deleite. Com certeza, nada é tão relaxante quanto se recostar no feno lendo um bom livro, ou tão empolgante quanto saltar do palheiro para um enorme monte de palha mais abaixo.

Só havia uma pequena nuvem em nosso céu idílico, uma minúscula ameaça a nossa felicidade: o fato de que nosso pasto estava repleto de vacas. E tínhamos certeza absoluta de que as vacas eram criaturas agressivas e perigosas que adorariam pisotear menininhas. Gostávamos muito de ter um pasto e um celeiro, mas nos mantínhamos longe daquelas vacas.

Lembro-me com clareza de uma tarde de outono quando o tempo estava firme e ensolarado, mas não muito quente. Iríamos ao casamento de um amigo naquela noite, mas tínhamos algum tempo para brincar antes de precisarmos tomar banho e nos vestir para a cerimônia. Fomos para o celeiro, evitando com cuidado as vacas no pasto.

Era hora de voltarmos para dentro de casa quando minha irmã notou que algumas das vacas haviam se reunido sob o palheiro. Isso não deveria ter representado nenhum problema, mas as vacas imbecis — aquelas bestas monstruosas — haviam se posicionado bem junto à base da escada para o palheiro. Ao calcularmos como escaparíamos dali, uma de nós teve a ideia brilhante de atirar algum feno para baixo, na esperança de que as vacas ameaçadoras simplesmente comessem o feno e depois rumassem para o pasto. Aliviadas por termos um plano, começamos a jogar feno do palheiro o mais rápido que nossas mãozinhas conseguiam.

Talvez você já tenha deduzido os resultados.

As vacas no celeiro logo receberam a companhia de todas as outras vacas, ávidas para saborear o inesperado lanche da tarde. Agora, em vez de algumas vacas reunidas sob o palheiro, havia um rebanho inteiro daqueles enormes brutamontes famintos.

Estava claro que não havia como escapar. Com a voz embargada de lágrimas, exclamei para minha irmã: "Vamos morrer!". Ela concordou que era provável que aquele fosse o fim de nossa curta vida. Gritamos, choramos, oramos por salvação. No entanto, nenhuma ajuda veio.

Por fim, decidimos que nossa única esperança de sobrevivência era sair correndo. Com pernas trêmulas, descemos a escada, paramos por apenas um segundo para tomar fôlego e corremos como loucas, convictas de que a qualquer momento veríamos o estouro da boiada. Alcançar o portão da cerca do pasto nos trouxe a maior euforia que já havíamos sentido.

Estávamos a salvo. As vacas não haviam atacado.

Surpreendemo-nos um pouco quando a única reação de nossa mãe ao nos ver foi preocupação por termos os cabelos cobertos de palha. Quando lhe contamos nossa experiência quase letal, ficamos estarrecidas quando ela deu risada. Duas de suas filhas haviam quase perecido ao enfrentar animais mortais, e nossa mãe *riu*. Que insanidade era aquela?

Foi um choque descobrir que o perigo só havia existido, na maior parte, em nossa mente. As vacas contentes que se alimentavam em nosso pasto não nutriam nenhum interesse por um par de crianças que nunca se aproximavam delas. Nós nunca as amolamos, por isso elas nunca nos amolavam. A ideia de que aquelas vacas eram agressivas e mortais simplesmente não era verdadeira.

Havíamos acreditado num mito sobre aquelas vacas, e acreditar num mito estragou aquele dia fantástico. Acreditar naquele mito nos convenceu de que estávamos sob um perigo mortal. Na realidade, acreditar naquele mito poderia até ter nos colocado em algum perigo físico ao nos levar a agir de forma histérica em vez de manter a calma.

Os mitos são poderosos assim.

As crenças equivocadas

Desde aquele dia em que não morri no pasto, tive muito tempo para desenvolver outras crenças, algumas delas tão míticas quanto minha impressão das vacas como monstros.

Nos anos em que cresci me comparando a outras pessoas, desenvolvi todo tipo de crenças sobre mim mesma:

- Não era bondosa o bastante
- Não era talentosa o bastante
- Não era habilidosa o bastante
- Não era bonita o bastante

O que é triste (e irônico) era que parte da minha tendência a manter uma opinião negativa a meu respeito resultou da forma intensa, mas também rígida, com que fui educada na religião. Embora nos orgulhássemos de nossos ricos ensinamentos bíblicos, minha herança de fé incluía uma dose considerável de culpa pelos pecados e muito pouca certeza de salvação. Como aluna exemplar na escola dominical, fui batizada aos dez anos de idade. Então, aos dezessete, um sermão comovente que ouvi me levou a duvidar que meu batismo fosse válido. Eu havia sido salva? Será que meu nome estava escrito no Livro da Vida? Eu não fazia ideia, por isso me batizei uma segunda vez.

Embora quisesse pensar em mim como sendo uma menina cristã boa, talentosa, habilidosa e bonita, eu percebia que não me equiparava àqueles com quem me comparava em cada uma dessas categorias. Contudo, meus fracassos não me impediam de continuar tentando; na verdade, despendi um esforço valoroso para ser tão boa, talentosa, habilidosa e bonita quanto possível. Assisti a todos os estudos bíblicos, cantei em todos os corais, me ofereci como voluntária em todas as causas e experimentei cada truque cosmético ao meu alcance. Ainda assim, as crenças persistiam: não era o bastante.

Queria tanto ser capaz de afirmar que esses sentimentos eram produto da típica angústia e egocentrismo adolescente, e que superei essas emoções depois que terminei a faculdade, me apaixonei e me casei. Entretanto, isso não é verdade. Em vez disso, ao prosseguir com minha vida como uma jovem esposa e, mais tarde, mãe, as críticas dispararam, mais uma vez me concentrando nas qualidades daquelas que mais admirava. E, desse modo, notei minhas deficiências:

OS MITOS EM QUE ACREDITAMOS • 45

- Não era culta o bastante
- Não era sensível o bastante
- Não era espiritual o bastante
- Não era generosa o bastante
- Não era bem-sucedida o bastante
- Não era independente o bastante

Em minha estimativa, uma mulher como eu deveria ser culta, sensível, espiritual, generosa, bem-sucedida e independente — permanecendo sempre, ao mesmo tempo, apropriadamente humilde.

Eu sabia que meus padrões eram elevados, mas nunca me ocorreu que estivesse tentando alcançar algo inatingível. Em determinado ponto, assisti a um *workshop* que detalhava os perigos do perfeccionismo. Confesso que, até aquele momento, eu sempre havia considerado a busca da perfeição como uma causa justa e santa. Não era nossa função lutar para sermos perfeitos?

Eu me surpreendi ao descobrir que o perfeccionismo não era um traço desejável. Intrigada, voltei para casa e pesquisei um pouco. Um dos artigos que li incluía uma lista: "Dez sinais de que você talvez seja perfeccionista". Com a maior honestidade possível, eu me avaliei em relação àquela lista. Ah, a ironia: já que eu só exibia oito dos dez sinais, concluí que não era perfeccionista!

Eu era implacável comigo mesma, imaginando que deveria sempre ser diferente e melhor. E, onde quer que olhasse, encontrava pessoas que exemplificavam os traços que eu admirava. Embora não tivesse consciência disso até meu marido acusar o problema, eu havia criado de fato uma mítica mulher-amálgama, um retrato de excelência que possuía cada característica positiva que eu observava nas pessoas ao meu redor. Ela era o modelo, eu pensava, o protótipo daquilo que eu *deveria* ser.

E embora eu não creia que essa tenha sido a intenção de forma nenhuma, os estudos bíblicos de que participei muitas vezes reforçaram esses sentimentos. Nas noites de terça ou nas manhãs de quarta ou nas tardes de quinta, eu saía correndo do escritório ou de casa, devorando um lanche no carro, passando por semáforos amarelos a fim de ser bem pontual. Tomava logo meu lugar, respirava fundo e abria meu livro sobre como ser uma mulher excelente e buscar uma vida virtuosa. O mais comum era que esses estudos me guiassem ao mesmo ponto nas Escrituras: Provérbios 31.10-30.

Aposto que você conhece essa passagem. O texto que memorizei quando menina começa assim: "Mulher virtuosa, quem a achará? O seu valor muito excede o de finas joias" (RA). Os versículos seguintes descrevem uma mulher que conta com a plena confiança do marido: uma mulher que trabalha de maneira incansável dia e noite, administra a casa com maestria, cuida bem da família e também dos necessitados da comunidade, e planeja tudo com tanta meticulosidade que nunca precisa se preocupar. Forte, honrada, e sábia, ela "atende ao bom andamento da sua casa e não come o pão da preguiça" (v. 27).

Eu não fazia ideia de que a passagem era um poema hebraico descrevendo uma mulher de valor, uma passagem recitada por maridos judeus para agradecer à esposa e bendizê-la. Eu pensava que era uma lista de requisitos, um catálogo deprimente, mas útil, de tudo o que eu deveria fazer. Imaginei que precisava emular essa perfeita "mulher de Provérbios 31", somando pontos até que, algum dia, meus filhos se levantariam e me chamariam de "ditosa" (v. 28).

Por isso, me esforcei. Nunca era capaz de descansar por completo porque estava sempre tentando alcançar aquele padrão. Eu fracassava, mas precisava continuar tentando. Não conseguia imaginar que fosse possível ser amada e aceita do jeito que eu era.

Má compreensão de Deus

Mais do que tudo, eu queria ser aceita por Deus.

Nascida numa família cristã, educada na igreja e tendo estudado numa faculdade cristã, aprendi a reverenciar e adorar a Deus com toda a força de que era capaz. Estudei minha Bíblia e escutei sermões, ansiosa para saber mais a respeito de Deus. Cada elemento novo que aprendia sobre Deus me levava a adorá-lo com ainda mais ardor, mas não me parecia que ele fosse muito acessível.

O que eu sabia com certeza sobre Deus era que ele era perfeito, e o que eu sabia com certeza sobre mim mesma era que eu era terrivelmente imperfeita — e eu considerava *imperfeito* o mesmo que *inaceitável*.

Ao me avaliar segundo o que eu supunha ser a lista de requisitos de Deus e constatar que estava muito longe de atingir aquele nível, parecia-me bem lógico que Deus deveria estar zangado comigo ou, pelo menos, exasperado com meus fracassos.

Quando as pessoas falavam de Deus como Pai e me encorajavam a pensar em mim como uma filha amada de Deus, era natural que meus pensamentos se voltassem para meus próprios pais. Fui abençoada com pais maravilhosos, mas as rigorosas regras de conduta e métodos de disciplina de minha família, os rígidos padrões de comportamento de nossa igreja conservadora e minhas próprias inseguranças inatas se combinaram para provocar mais ansiedade do que conforto.

Eu associava a ideia do Pai a de um pai que me via sempre em encrencas. Um Pai *zangado*, talvez, ou um Pai *desapontado* era algo bem mais provável, na minha concepção.

Por causa de minha imagem de Deus como zangado ou desapontado, eu não encontrava muito conforto na ideia de Deus como onisciente. Eu sabia que era pecadora. Tinha consciência de que era um desastre. Com certeza um Deus que sabe tudo veria que eu era ainda pior do que temia!

Assim, às vezes, em vez de pensar em Deus como estando perto de mim em insatisfação perpétua, eu me confortava ao imaginá-lo como alguém distante, muito mais preocupado com outras questões do que comigo. Talvez a ideia de uma divindade desconectada fosse mais fácil de tolerar do que a de um disciplinador desaprovador que vivesse próximo, observando cada movimento que eu fizesse. Longe ou perto, porém, o Deus de minha imaginação era certamente alguém que esperava que eu me aprimorasse e me recompusesse, para me tornar digna de amor.

Eu era incapaz de conceber um Deus que não apenas me considerasse passível de ser amada e aceita, mas que, na verdade, se deleitasse comigo.

As dúvidas sobre as outras pessoas

Ao me comparar a todos ao meu redor, eu tendia a notar os pontos fortes deles. Entretanto, quando pensava em mim, notava, na maior parte, meus pontos fracos. Dessa forma, passei a considerar os outros superiores a mim. As outras pessoas se tornaram os parâmetros pelos quais me avaliava, e sempre me descobria em desvantagem. Por acreditar que nunca estava à altura deles, presumia que os outros me viam com desaprovação ou desinteresse.

Quando era uma adolescente tímida, preocupada a respeito de cada aspecto de minha aparência e comportamento, os adultos em quem eu confiava me advertiam para que não me afligisse. "A única que vai notar suas imperfeições é você", eles me asseguravam.

Contudo, por causa de meu sinal de nascença, eu me via diante de evidências de que aquelas palavras simplesmente não eram verdade. Eu sabia que as pessoas notavam minhas imperfeições porque apontavam para mim e sussurravam, ou faziam perguntas constrangedoras. Não era algo que acontecesse o tempo todo, mas ocorria com frequência suficiente para que eu internalizasse a lição: as pessoas *notavam* minhas imperfeições. E me julgavam. Eu estava convencida disso.

Meus receios não se dissiparam quando me tornei adulta. Em vez disso, alerta ao extremo a meus próprios fracassos, sentia-me certa de que os outros me julgavam com a mesma severidade com que eu me julgava. Até quando pareciam me amar e me aceitar, eu me considerava indigna, por isso duvidava do amor e da aceitação deles. Em outras palavras, eu projetava minhas próprias dúvidas sobre mim nos outros, supondo que eles deveriam sentir dúvidas a meu respeito também. Nunca me ocorreu que todas aquelas pessoas nutriam suas próprias dúvidas sobre si mesmas, que elas talvez necessitassem de aceitação e afirmação tanto quanto eu.

Não conseguia imaginar que outras pessoas me amassem e me aceitassem, e que precisassem, em contrapartida, de meu amor e aceitação.

Um vislumbre de esperança

Quando eu tinha trinta e poucos anos, recebi uma notícia que imaginei que mudaria minha vida. O médico que havia me

50 · O MITO DA PERFEIÇÃO

diagnosticado como tendo a síndrome de Klippel-Trénaunay me contou sobre um novo tratamento a *laser* que prometia ser eficaz no clareamento de manchas em vinho do Porto como a minha.

Poucas vezes me senti tão animada quanto na manhã de meu primeiro tratamento. Meu coração se acelerou quando cheguei cedo ao centro ambulatório e vesti a bata hospitalar. O dermatologista entrou e sorriu para mim com confiança; tive a impressão de que ele estava tão ansioso quanto eu para determinar a eficiência do *laser* num sinal de tamanho considerável como o meu. Ele testou o *laser* e me mostrou como funcionava: nada assustador, só pulsações de luz. Cada pulsação ardia um pouquinho, como o estalo de uma tira elástica contra a pele.

"Conversamos com seu plano de saúde, e eles aprovaram uma sessão de 1500 pulsações", explicou o médico. "Seu sinal é tão grande que, com toda a probabilidade, vai exigir várias sessões de tratamento. Qual área gostaria de tratar primeiro?" Concordamos em começar com a parte inferior da perna, já que era a área mais visível.

De fato, cada pulsação ardia um pouco, e 1500 pulsações de uma vez ardiam muito. Cada tratamento demandava algum tempo de recuperação, já que as pulsações deixavam contusões consideráveis. No entanto, eu não me importava. A possibilidade de mitigar a aparência de meu sinal compensava qualquer dor. Retornei, uma vez após a outra, tratando e retratando uma área de 1500 pulsações a cada vez.

Eu havia vivido a vida inteira com a dor de ter um sinal de nascença. Eu faria de tudo para removê-lo.

Entretanto, ele não era removível. Embora o procedimento em *laser* às vezes funcionasse bem em crianças, não era muito eficaz em sinais de pacientes mais velhos. Meu sinal desvaneceu um pouco, e estou feliz por ter tentado. Incentivo outros com manchas em vinho do Porto a tentar também. Contudo, acabei basicamente com o mesmo sinal de antes.

Lamentei muito o fracasso daquele tratamento. Eu havia nutrido a esperança de que enfim me livraria da feiura de meu sinal. Percebi que a mancha nunca seria removida por completo; sempre soube que nunca seria perfeita — mas havia desejado chegar um pouco mais próximo da perfeição.

Depois, senti vergonha de minha tristeza. O que me tornava tão obcecada com algo tão insignificante? Por que me importava tanto? O que havia de errado comigo?

De coração partido, orei por perdão. Com lágrimas de angústia, clamei a Deus:

— Sinto muito. Eu me fixei numa questão que é literalmente superficial! Deus amado, o Senhor deve estar tão desapontado comigo!

Então, para minha grande surpresa, ouvi Deus falar. Com toda a clareza, ouvi Deus responder:

— Você não ouviu isso de mim.

A verdade é que eu não sabia que Deus falava daquele jeito. Porém, as palavras eram inequívocas e reverberaram por meu coração: "Você não ouviu isso de mim".

Foi só depois de ouvir a voz de Deus que comecei a compreender que muito do que eu acreditava sobre ele não era verdade. Com o passar do tempo, entendi que muito do que eu havia pensado sobre mim mesma e supunha sobre as outras pessoas também não era correto.

Talvez a maior ironia na vida das comparações contínuas é que, embora estas envolvam tanta atenção às qualidades e aos dons de outras pessoas, elas são, na verdade, focadas demais na própria pessoa. Desse foco hipercrítico em si próprio brota a tendência de crer em aspectos sobre Deus e as pessoas que não são verdadeiros, mas que são bastante formadores. Os mitos em que acreditamos moldam nossa abordagem da vida.

Por que continuamos a acreditar em mitos?

Depois que minha irmã e eu nos recuperamos de nosso choque e consternação ante o mal-entendido sobre as vacas, perguntamos para nossa mãe por que ela não havia nos contado a verdade.

— Por que nos deixou pensar que as vacas eram malvadas? — indagamos.

— Eu queria que ficassem longe delas — respondeu ela com simplicidade.

É uma ideia lógica, não é? Se não tivéssemos deixado as vacas em paz, elas talvez tivessem representado um risco para nós. Não havia touros naquele pasto, mas às vezes as vacas se assustam. É possível que alguém seja ameaçado por vacas. Ao permitir que acreditássemos que o gado em nosso pasto era perigoso, nossa mãe não precisava recear que provocássemos os animais.

Nossa crença num mito parecia ser a chave de nossa segurança.

O mesmo vale para muitos dos mitos em que acreditamos. E pode parecer que seja do nosso interesse continuar acreditando nesses mitos.

Se acreditarmos que somos inaceitáveis, é provável que trabalhemos com maior afinco para provar nosso mérito.

Se acreditarmos que Deus está zangado ou desapontado conosco, talvez tentemos conquistar seu favor comportando-nos de determinada maneira.

Se acreditarmos que outras pessoas nos julgam, talvez tentemos demonstrar um desempenho cada vez mais elevado.

Não se engane: trabalhos são concluídos, comitês são formados e projetos são realizados como resultado de nossas tentativas de provar nosso mérito.

No processo, porém, sentimos um peso no coração. Nosso espírito é esmagado. E nossos relacionamentos são deturpados. Não seria melhor conhecer a verdade?

PARA REFLEXÃO E DISCUSSÃO

1. Considere os padrões que exige de si próprio. Você acredita que não está à altura deles? Em que aspectos?

2. Descreva as crenças em Deus que você costuma guardar apenas para si. Depois liste as formas como descreveria Deus para outra pessoa. Há diferenças nessas descrições?

3. No que você acredita sobre as outras pessoas? Você se flagra notando as boas qualidades delas na maior parte do tempo? Liste algumas das qualidades que observa nos outros.

4. Com toda a honestidade possível, liste três coisas que, a seu ver, outras pessoas pensam a seu respeito. Depois compartilhe sua lista com alguém. Pergunte-lhe se o que você acredita que as pessoas pensam sobre você é de fato o que elas pensam.

5. Reexamine suas listas. Você supõe que alguma de suas crenças possa ser um mito e não uma verdade? Há algo sobre o que Deus diria: "Você não ouviu isso de mim"? Ofereça esses itens a Deus em oração.

PARTE 2

A PROMESSA
VISÃO CORRIGIDA

PARTE 2

A PROMESSA
VISAO CORRIGIDA

4

A verdade sobre Deus

O que nos vem à mente
quando pensamos em Deus
é o que há de mais importante a nosso respeito.

A. W. TOZER

Sorrio sempre que me perguntam se cresci frequentando a igreja. Os cultos das manhãs e as noites de domingo eram obrigatórios, assim como a escola dominical antes do culto matinal e os estudos bíblicos nas noites de quarta-feira. Também costumava haver uma aula adicional sobre a Bíblia em algum dia durante a semana.

Se as portas da igreja se encontrassem abertas, costumávamos estar lá.

Sem dúvida, a melhor de todas essas atividades na igreja era o canto. Cresci numa tradição que enfatizava o canto congregacional, e todos participavam. Cantávamos com alegria em harmonia a quatro vozes, e até hoje sei de cor cada palavra de centenas de hinos.

Um de meus favoritos era o sublime "Santo, Santo, Santo", e eu gostava de imaginar uma imensa congregação, de "todos os remidos junto com os anjos" proclamando o louvor de Deus. Eu não fazia ideia de como eram esses anjos, mas sabia que todos nós cantaríamos em uma só voz: "Santo, Santo, Santo, Deus Jeová triúno, és um só Deus, excelso Criador".[1]

Também não entendia como esse "Deus Jeová" era três e um ao mesmo tempo, mas adorava cantar sobre isso.

Para mim, cantar hinos era o que me trazia mais felicidade na igreja, o momento em que me sentia alegre e em paz. Apreciava alguns outros aspectos também, mas nem sempre estes me davam a sensação de felicidade. Ao aprender sobre Deus, às vezes eu me sentia mais temerosa e sob pressão do que alegre e em paz.

Eu admirava Deus e dava o melhor de mim para amá-lo, mas sentia que não conseguia amá-lo de todo o coração, de toda a alma, de toda a mente, com todas as forças — o que eu sabia ser necessário. Eu me comparava muito a outras crianças da igreja, e percebia que algumas delas sabiam honrar a Deus bem melhor do que eu. Em meus sapatinhos de verniz, especiais para os domingos, eu tremia de medo de não ser boa o bastante.

Quando eu cantava as palavras "Santo, Santo, Santo", era arrebatada pela bondade e amor de Deus; eu me imaginava como um dos santos louvando a Deus nos céus. Quando me sentava no banco da igreja e escutava os sermões, não sentia a mesma certeza.

Parte de minha confusão na infância é hoje fácil de entender. Fui criada numa igreja fundada nos Estados Unidos do século 19 por pessoas cujas intenções eram excelentes: elas nutriam a esperança de dar início a uma igreja que se assemelhasse o máximo possível à igreja descrita no Novo Testamento. No entanto, como foi o caso de muitos de seus contemporâneos, algumas das crenças daquelas pessoas eram, conforme explica James Torrance, "dominadas por [...] conceitos sobre Deus como, em primeiro lugar, aquele que forneceu as leis naturais, o Deus-contrato da jurisprudência ocidental que precisa ser condicionado a ser generoso por meio do cumprimento da lei".[2] Junto com muitos outros frequentadores de minha igreja, eu me apavorava ante a ideia de que Deus me puniria por meus pecados, e receava que nunca seria boa o bastante para merecer sua aprovação.

Depois que Deus revelou com tanto carinho que muitos de meus conceitos sobre ele estavam equivocados, precisei desaprender muitas lições a fim de abrir espaço em minha mente e em meu coração para a verdade.

Difícil de compreender

Não precisei estudar muito para aprender alguma coisa sobre os anjos, mas o aprendizado sobre a bendita Trindade se provou bem mais difícil. Com toda a honestidade, às vezes me vi tentada a descartar qualquer aspecto incompreensível como sendo irrelevante, e talvez não haja nada tão difícil de entender quanto a ideia de que o Deus único que adoramos é, na verdade, três pessoas, mas ainda um só Deus.

Na aritmética trinitária, 1+1+1=1, certo? Nunca gostei muito de matemática, mas não conseguia decodificar esse conceito. Em vez disso, acabei com uma dor de cabeça de tanto tentar entender a questão.

Entretanto, durante o processo de substituir meus velhos mitos sobre Deus pela verdade sobre ele, percebi afinal que talvez eu não precisasse entender. Aprendi um modo diferente de pensar sobre a verdade incompreensível da Trindade: não como um enigma a ser solucionado, mas como um mistério com o qual se assombrar e se deleitar.

Segundo os ensinamentos cristãos, Deus é tanto três quanto um, o que de fato soa misterioso. Contudo, embora não sejamos capazes de compreender por completo, há muitos séculos

60 • O MITO DA PERFEIÇÃO

os cristãos acreditam que, como explicam Steven Boyer e Chris Hall, "a fundação de toda a realidade, a fonte inimaginável de tudo o que há, não é só um 'eu' monolítico, mas também um 'nós' mútuo, uma comunhão de pessoas distintas unidas de forma suprema no amor pessoal".[3]

Antes do primeiro homem e da primeira mulher, antes das plantas e dos animais, antes dos céus e da terra, até mesmo antes do tempo — havia Deus. O primeiro versículo das Escrituras afirma que Deus é responsável por toda a criação — mas não se trata de um Deus isolado e solitário.

Embora a palavra *trindade* não se encontre em nenhuma parte das Escrituras, a Bíblia está repleta de referências a três entes divinos distintos, além de também insistir que há apenas um único Deus. Aliás, já no segundo versículo do Gênesis o autor afirma que "o Espírito de Deus se movia sobre a superfície das águas". Alguns versículos mais tarde, aprendemos que Deus se refere a seu próprio ser no plural: "Façamos o ser humano à nossa imagem; ele será semelhante a nós" (Gn 1.26). Mais tarde, em João, aprendemos que Jesus estava com Deus no princípio e era, na verdade, o próprio Deus (Jo 1).

Em outras palavras, antes que houvesse qualquer criatura, havia um *relacionamento*. O relacionamento entre Pai, Filho e Espírito Santo precedeu a criação. Quando falamos de Deus, falamos do Pai eterno, do Filho e do Espírito Santo, que sempre existiram num relacionamento amoroso entre si.

Como poderíamos descrever, quanto mais compreender, algo tão misterioso como a relação entre o Pai, o Filho e o Espírito Santo? Os teólogos tentam explicá-la por meio da palavra *perichōrēsis*. Ela vem do grego, sendo que *peri* significa "em torno" e *chōreō* significa "ceder" ou "abrir espaço". Sempre juntos, sempre unidos em perfeito amor e harmonia, os membros da Trindade abrem espaço uns para os outros. Não há disputa por posições, nem comparações, nem competições, nem a subordinação de um a outro. Dallas Willard ensinou: "Não há nenhuma subordinação na Trindade porque os membros da Trindade não a admitem. Não precisam dela".[4]

Algumas das melhores descrições do amor eterno entre os membros da Trindade se encontram nas palavras de Jesus registradas pelo apóstolo João. Lemos em João 3.35 que "o Pai ama o Filho e pôs tudo em suas mãos". Em João 14.31, Jesus afirma: "Farei o que o Pai requer de mim, para que o mundo saiba que eu amo o Pai". E, ao falar sobre o Espírito Santo, Jesus promete: "Ele me glorificará porque lhes contará tudo que receber de mim" (Jo 16.14). O autor Sam Allberry coloca a questão nestes termos: "Observamos nos relacionamentos entre o Pai, o Filho e o Espírito Santo uma dinâmica de amor, de foco no outro em vez de em si mesmo".[5]

Cada membro da Trindade é Deus em sua plenitude; cada um devota aos demais amor e confiança; cada um sempre existiu em relação aos outros. Essa comunhão é tão real, tão aberta, que é marcada pela união sem perda da identidade individual. Baxter Kruger escreve: "A Trindade é um círculo de vida compartilhada, e a vida é plena, não vazia, mas abundante, rica e bela".[6] Por essas razões, alguns imaginam a Trindade como um círculo esplendoroso, uma espécie de dança divina. Não é um conceito maravilhoso? Como quer que você visualize esse relacionamento, a imagem do amor eterno que se entrega por completo é extraordinária.

Os cristãos de hoje em dia devem muito aos líderes da igreja primitiva, que oravam com fervor, adoravam de todo o coração, estudavam com diligência, debatiam entre si e combatiam as heresias para chegar à verdade do que as Escrituras revelavam sobre a Trindade. O credo adotado no Concílio de Niceia em 325 d.C. afirma com palavras escolhidas cuidadosamente uma crença num Deus único em três pessoas: o Pai; Jesus Cristo, o Filho unigênito de Deus; e o Espírito Santo.

Grandes ideias, grandes palavras

Da verdade gloriosa e misteriosa da Trindade fluem todas as maravilhas sobre Deus que nós, com as limitações de nossa linguagem, nos esforçamos para articular. "Santo, Santo, Santo" não é algo encontrado apenas no hino amado; é como Deus é descrito tanto no Antigo quanto no Novo Testamento (Is 6.3; Ap 4.8), indicando que Deus não é como todos os outros. A ideia de como Deus é diferente de todas as criaturas é difícil de expressar em palavras, mas ao longo dos séculos houve quem tentasse. Alguns dos termos que procuram descrever Deus começam com o prefixo *oni*, do latim *omnis*, que significa "tudo". Afirmamos que Deus é

- onisciente, que significa aquele que sabe tudo
- onipotente, que significa todo-poderoso
- onipresente, que significa sempre presente em todos os lugares

Outras palavras são tentativas de descrever Deus nomeando aquilo que ele não é. Por exemplo, Deus é

- imortal (não suscetível à morte ou ao declínio)
- inefável (não descritível)
- infinito (sem fronteiras ou limites)
- incomensurável (incapaz de ser medido)
- imutável (que não passa por mudanças ou alterações)

Essas palavras são todas verdadeiras. E são úteis para descrição, mas tão amplas que podem acabar reprimindo nossa imaginação em vez de instigá-la. Se não formos cuidadosos, poderíamos vir a pensar em Deus em termos de tudo ou nada, o que atrapalharia nosso relacionamento com ele em vez de intensificá-lo. Seria uma vergonha, pois Deus escolhe se revelar aos seres humanos com o propósito de se relacionar com eles. Aliás, Juliana de Norwich afirma: "Deus deseja ser visto, e deseja que o busquem, / Deseja ser aguardado, e deseja que confiem nele".[7]

Muitas verdades maravilhosas sobre Deus deleitarão nosso coração e mente por toda a eternidade, mas precisamos de um relacionamento com Deus aqui e agora. Considerar algumas verdades em linguagem simples talvez nos ajude a desenvolver esse relacionamento.

Deus é amor. "Deus é amor", proclama 1João 4.8. Talvez seja difícil para nós compreender a importância dessas palavras. Deus não apenas demonstra seu amor ou é a fonte do amor — apesar de essas afirmações serem verídicas —, mas Deus é amor. Em outras palavras, o amor é parte da própria natureza de Deus.

O *amor* é um termo de relacionamento. O amor existe no próprio Deus, em seu ser, pois o relacionamento existe em Deus em si. Até mesmo antes de Deus ter criado nosso universo, Deus era amor — o amor entre três pessoas. Deus é amor por natureza porque ele nunca esteve sozinho. Talvez tenham sido os puritanos que expressaram melhor essa ideia ao pregarem: "Deus é em si uma doce sociedade".

Ao distinguir o verdadeiro Deus de outros deuses adorados por povos antigos, Michael Reeves escreve:

Tudo muda quando se trata do Pai, do Filho e do Espírito Santo. Aqui está um Deus que não está sozinho em sua essência, mas que tem amado por toda a eternidade como o Pai que ama o Filho no Espírito Santo. Amar os outros não é, de forma nenhuma, algo de estranho ou novo para esse Deus; é algo que está na raiz de quem ele é.[8]

De maneira surpreendente, esse Deus que é amor optou por estender seu amor. Do que transbordava do amor do Pai, do Filho e do Espírito Santo, Deus criou os seres humanos para que compartilhassem de seu amor. Criados à imagem de Deus, fomos feitos para sermos amados, moldados para compartilhar da vida vibrante e da alegria perene do Deus trino. "Por trás da Criação [...] havia a decisão de conceder aos seres humanos um lugar no círculo da Trindade", conforme lembra C. Baxter Kruger ao analisar a carta de Efésios.[9] C. S. Lewis assim define esse conceito: "O amor de Deus, que não requer nada, leva à existência criaturas completamente supérfluas a fim de amá-las e aperfeiçoá-las".[10]

Em meus próprios esforços para entender o amor de Deus, enfrentei dúvidas que muitos compartilham: Deus é amoroso? Deus ama a todos? Deus me ama? Sou grata porque, apesar de minhas dúvidas, a resposta a essas perguntas é um sonoro *sim*. Como Deus é amor em sua própria natureza, ele nunca deixa de ser amoroso. O amor de Deus nunca se esgota. Na realidade, como observou Tom Oden: "O propósito primordial da criação é que Deus deseja conceder amor e ensinar amor, de forma que as criaturas consigam compartir da bênção da vida divina, amando e sendo amadas".[11]

Outro de meus hinos favoritos na infância descreve com eloquência o amor de Deus. Até hoje meu coração se enche quando penso na letra de "O amor de Deus é singular", um hino escrito no início do século 20. Embora eu às vezes tenha dificuldades para me lembrar disso, sei que estas palavras atemporais são verdadeiras.

> Se fosse tinta todo o mar,
> E os céus infindos, os papéis,
> Quais penas fosse todo hastil,
> E os homens, escrivães fiéis;
> Nem mesmo assim o amor seria
> Descrito em todo o fulgor;
> Oh! deslumbrante maravilha
> É esse eterno amor![12]

Deus está conosco. Conhecemos a história desoladora, contada em Gênesis 3, de como os primeiros que foram criados à imagem de Deus decidiram desobedecer-lhe, abdicando da vida de comunhão íntima de que desfrutavam na companhia de Deus. Ele havia provido a Adão e Eva com fartura e estabelecido uma única regra a ser seguida; Deus os havia prevenido de que infringir aquela regra levaria à morte. Satanás os instigou a desconfiar de Deus, a descrer que Deus lhes tinha dito a verdade. Com aquela decisão de desobedecer, as consequências do pecado foram introduzidas no belo cosmos de Deus. A morte e o declínio entraram no mundo.

Entretanto, o amor de Deus por aqueles criados à sua imagem é imutável e inalterável, jamais diminuído nem mesmo pelas circunstâncias mais sombrias. Antes que Adão e Eva decidissem desobedecer, antes mesmo de Adão e Eva serem criados, o Deus trino já havia tomado provisões para restaurar aqueles que levam sua imagem à comunhão com ele.

A provisão de Deus representou um ato de amor e graça tão generoso que é difícil até mesmo de imaginar. O próprio Filho de Deus foi concebido no útero de uma mulher judia e nasceu na cidade de Belém. Deus mesmo vem até nós na pessoa de Jesus, que era chamado *Emanuel*, termo hebraico que significa "Deus está conosco". Se queremos saber como é Deus, olhemos para Jesus, que declarou a respeito de si mesmo: "Quem me vê, vê o Pai!" (Jo 14.9). Ao tomar um corpo humano, Jesus não apenas nos mostrou como Deus é, mas também nos mostrou como os seres humanos deveriam ser.

Na encarnação, o Filho de Deus se transformou em tudo o que os seres humanos são, com exceção do pecado. Contudo, o homem Jesus é também divino por inteiro. Embora seja filho de Maria, também é o Filho de Deus. Em suas ações, Jesus demonstra que é o regente do universo: transforma água em vinho, cria um banquete para milhares a partir de um modesto lanche, acalma tempestades, cura doentes de enfermidades terríveis, e até traz pessoas de volta à vida. No entanto, Jesus se permite ser torturado e morto de maneira pública e angustiante. As testemunhas relataram que o corpo de Jesus estava morto com toda a certeza. Mesmo assim, ele nunca cessou de ser Deus em sua forma plena, e Deus não está sujeito à morte, de modo que Jesus se ergueu do túmulo, reviveu em seu corpo ressuscitado entre seus amigos na terra e ascendeu aos céus.

Talvez a história tenha se tornado tão familiar para nós que nos esquecemos de sua importância. No entanto, o milagre da encarnação significa que o Criador adentrou sua criação. O Deus imortal tomou um corpo humano. O Deus eterno se introduziu no tempo. O poder da vida, da morte e da ressurreição de Jesus surge não do fato de um homem morto ter voltado à vida, mas de o homem ressuscitado ser Deus em pele humana.

Deus sempre esteve com seu povo. A narrativa bíblica relata a presença de Deus entre indivíduos, depois com a família de Abraão e seus descendentes, a seguir por meio do próprio Filho de Deus no homem Jesus, e então por meio do Espírito Santo. A Bíblia conta a história da vida de Deus e de seu amor, que é tão poderoso e constante que nada é capaz de impedi-lo de compartilhar conosco sua vida e amor. Gosto da maneira como Fred Sanders apresenta o conceito: "A vida irrestrita que Deus vive em si mesmo [...] é completa, plena a um ponto inexaurível, e infinitamente bendita [...]. As boas--novas do evangelho revelam que Deus abriu a dinâmica de sua vida trina e nos doou uma parcela dessa comunhão".[13] A obra de Jesus — sua encarnação, vida, morte e ressurreição — possibilita nossa comunhão com Deus. E a promessa de Jesus a seus seguidores é: "Estou sempre com vocês, até o fim dos tempos" (Mt 28.20).

Não é de surpreender que algumas das canções que eu mais apreciava na infância fossem cânticos de Natal sobre a encarnação. Um de meus favoritos entoava glória ao Rei recém--nascido junto com os anjos mensageiros:

Nasce pra que renasçamos;
Vive para que vivamos.
Rei, profeta e salvador!
Louvem todos ao Senhor![14]

Embora eu não entendesse bem a importância da verdade que esses cânticos proclamavam, com certeza eu adorava cantá-los.

68 • O MITO DA PERFEIÇÃO

Deus é bom. A Bíblia está cheia de declarações sobre a bondade de Deus. Em especial, os salmos exaltam sua bondade: "Provem e vejam que o Senhor é bom! Como é feliz o que nele se refugia!" (Sl 34.8); "Tu és bom e fazes somente o bem; ensina-me teus decretos" (Sl 119.68); "O Senhor é bom para todos; derrama misericórdia sobre toda a sua criação" (Sl 145.9).

Os escritores do Novo Testamento também afirmam a bondade de Deus. Tiago escreve: "Toda dádiva que é boa e perfeita vem do alto, do Pai que criou as luzes no céu. Nele não há variação nem sombra de mudança" (Tg 1.17). Pedro exorta os crentes: "Como bebês recém-nascidos, desejem intensamente o puro leite espiritual, para que, por meio dele, cresçam e experimentem plenamente a salvação, agora que provaram da bondade do Senhor" (1Pe 2.2-3). E o apóstolo João, um dos amigos e discípulos mais próximos de Jesus, escreveu: "Esta é a mensagem que ouvimos dele e que agora lhes transmitimos: Deus é luz, e nele não há escuridão alguma" (1Jo 1.5).

As pessoas às vezes acusam Deus de ações e atitudes horrendas, mas o testemunho das Escrituras deixa claro: Deus é bom. Esse fato foi defendido de forma apaixonada no século 4 por Atanásio, o bispo de Alexandria: "Pois Deus é bom, ou melhor, a fonte de toda a bondade, e quem é bom não se ressente de nada".[15]

É interessante que quase nenhum dos hinos que aprendi quando criança falasse de maneira direta da bondade de Deus. Cantávamos sobre a glória, a força, o poder e a fidelidade de Deus, mas era raro que cantássemos sobre sua bondade. Pergunto-me se muitos compositores de hinos, apesar de claramente inspirados pela *grandeza* de Deus, talvez não sentissem tanta certeza acerca de sua *bondade*. Se for esse o caso, compreendo a hesitação. Num mundo repleto de sofrimento, é fácil às vezes duvidarmos da bondade de Deus, isto é, de que ele seja bom por natureza, que seja bom para nós e que nos faça o bem. As notícias do mundo, de nossa comunidade ou um exame de nossas próprias circunstâncias talvez despertem a dúvida, instigando-nos a questionar se um Deus bom permitiria toda a dor e angústia que testemunhamos ou vivenciamos. Perguntamo-nos: *Como Deus poderia ser bom, se o mundo está tão cheio de coisas ruins?*

No entanto, estou convencida de que essa incerteza é precisamente o motivo pelo qual devemos cantar sobre a bondade de Deus. Nosso coração precisa de garantias e confirmações da verdade.

Juliana de Norwich, que viveu numa época marcada por guerras intermináveis e uma praga devastadora, entendia muito bem como a vida podia ser difícil. Num dramático encontro com Cristo, recebeu várias "revelações" sobre as quais meditou por muitos anos para, mais tarde, se esforçar para registrar. Deus explicou a Juliana em grande detalhe a profundidade e amplitude de seu amor pela humanidade, e assegurou que ele tem a capacidade e disposição de tornar tudo melhor. Após longa reflexão, Juliana concluiu que, às vezes, duvidamos de Deus porque "o uso de nosso raciocínio é hoje tão cego, tão fraco e tão simples, que não temos como conhecer a sabedoria elevada e maravilhosa, o poder e a bondade da jubilosa Trindade". Juliana aconselhou: "A melhor oração é repousar na bondade de Deus, sabendo que essa bondade alcança as maiores profundezas de nossa necessidade".[16]

Imagine minha alegria quando aprendi uma nova canção chamada "King of My Heart" [Rei do meu coração]. O refrão consiste apenas nestas palavras cantadas a Deus: "Tu és bom, és bom, és bom".[17] A verdade é digna de ser repetida, não é?

Aquilo em que cremos importa

Deus é amor, Deus está conosco, Deus é bom: todas declarações simples, mas essas verdades sobre Deus são impressionantes. O amor de nosso bom Deus por nós é tão grande que ele se entregou para nos dar vida. Ouvi dizer que Deus nos ama tanto que preferiu morrer por nós a viver sem nós. Esse é o único Deus verdadeiro: Pai, Filho e Espírito Santo, que nos elevam ao círculo de vida e amor.

Em seu livro *Você se torna aquilo que adora*, Greg Beale argumenta: "As pessoas se assemelham ao que reverenciam, seja para a ruína, seja para a restauração".[18] Nossas crenças sobre Deus são relevantes, pois refletimos o caráter do Deus que adoramos. Caso imaginemos Deus, nosso criador e regente, como sendo frio, distante e condenatório, nossa vida refletirá essa noção gélida: nós nos tornaremos críticos e inflexíveis em relação a nós mesmos e aos outros. Minha própria experiência confirmou esse fato. Minha má compreensão de Deus gerou exatamente o tipo de ambiente no qual a comparação contínua prosperava. Todavia, nutro a esperança de que Jorgen Schulz esteja correto ao supor que "se formos envolvidos pelo amor benevolente do Deus Trino que é Pai, Filho e Espírito Santo; se experimentarmos e testemunharmos a bondade e a graça indescritíveis do Deus de nosso Senhor Jesus Cristo, como poderíamos não ser humildes, gratos, e generosos?".[19]

A Bíblia nos conta que "nele vivemos, nos movemos e existimos" (At 17.28). Embora Deus seja maior do que consigamos compreender, mais maravilhoso do que consigamos sequer imaginar, queremos entender a verdade sobre Deus tanto quanto formos capazes. James Torrance expressa bem essa ideia:

Precisamos recuperar um entendimento bíblico de Deus como o Deus da aliança e da graça, não um Deus-contrato; o Deus que existe em amorosa comunhão e que, na liberdade de seu amor, nos criou e nos redimiu para que existíssemos em comunhão com ele e uns com os outros.[20]

Qual é a resposta adequada a esse Deus de vida, amor e graça? Não admira que tenha sido no canto dos hinos de minha infância que encontrei maior significado. Diante da glória e grandeza, do maravilhoso mistério de Deus, a adoração é a reação mais apropriada. Eugene Peterson escreve:

> É comum que se diga que a Trindade é um mistério. E é, sem dúvida [...]. É um mistério em que cultivamos a postura de adoração, reverenciando o que não somos capazes de entender [...]. Não se trata de um mistério que nos mantém no escuro, mas um mistério em que somos levados pela mão e guiados aos poucos para a luz.[21]

É isso que quero: ser guiada cada vez mais para dentro da luz. Enquanto isso, continuarei cantando, mesmo sem compreender por completo:

A Deus, supremo Benfeitor ,
Vós anjos e homens dai louvor;
A Deus o Filho, a Deus o Pai ,
A Deus Espírito glória dai.[22]

PARA REFLEXÃO E DISCUSSÃO

1. Você já evitou ponderar sobre assuntos que não compreende por completo? Já fez isso com Deus? Por que imagina que isso acontece?
2. O que você pensa que a afirmação "Deus é amor" significa? Reflita sobre o fato de que o amor de Deus nunca se esgota.

Escreva algumas frases que descrevam como você se sente a respeito desse fato.

3. O que ajuda você a se sentir conectado com o Deus que está conosco? O que torna difícil sentir que Deus está com você?

4. Você costuma enfrentar problemas para acreditar que Deus é bom? Por quê?

5. Durante uma semana, faça o possível para manter uma lista atualizada das vezes em que ouviu Deus ser mencionado por outros ou por você mesmo — em conversas, em aulas, em gravações, em qualquer formato de mídia. No final da semana, considere cada item da lista. As menções a Deus refletem uma crença no amor de Deus, em sua presença entre nós e em sua bondade? Alguma delas são negações ou rejeições dessas ideias sobre Deus? Há alguma imprecação utilizando o nome de Deus? Alguma imprecação direcionada a Deus? Ore sobre essa lista, pedindo a Deus que lhe revele a verdade sobre ele.

5

A verdade sobre nós mesmos

Somos o que fazemos,
Não somos o que possuímos,
Não somos o que outros pensam de nós.
Voltar para casa é clamar a verdade.
Sou o filho amado de um criador amoroso.

HENRI NOUWEN

Quando meu marido e eu completamos quinze anos de casados, ele me pediu um presente de bodas específico: um retrato meu. A princípio, resisti — sentindo-me desconfortável em minha própria pele, nunca gostei que me fotografassem. Jack persistiu, porém, e por fim insistiu que eu contratasse um fotógrafo com boa reputação para seções tanto em estúdio quanto em locação. Acabei me sentindo "rainha por um dia" enquanto um cabeleireiro, um estilista fotográfico, um fotógrafo profissional e um assistente trabalhavam para capturar a imagem certa.

Mais do que qualquer um, Jack sabia que, por causa de meu sinal de nascença, eu sempre me via como alguém sem encantos. Um olhar no espelho não revelava quaisquer pontos atraentes, pois meu olhar sempre se direcionava para minha imperfeição gritante. Jack tinha esperanças de obter mais do que um bom retrato meu quando pediu aquele presente. "Quero prova fotográfica de sua aparência para que eu lhe possa mostrar", ele me explicou. "Quero que você seja capaz de se ver como eu a vejo."

74 · O MITO DA PERFEIÇÃO

Foi um belo gesto, e dele saiu um retrato bonito.

No entanto, mesmo com prova fotográfica, levaria um bom tempo até que eu começasse a me ver de uma maneira diferente.

De volta à fonte

Já notou com que rapidez acreditamos no pior sobre nós mesmos? Muitos pesquisadores de psicologia descrevem um "viés de negatividade", atribuindo o desenvolvimento deste ao fato de que, para sobreviver por tantos séculos, os seres humanos precisaram conferir um peso cognitivo e emocional maior aos perigos do que aos prazeres. Não sei se isso é válido para todos os seres humanos, mas com certeza é verdade em relação a alguém como eu, que tem a propensão a fazer autoavaliações implacáveis.

A Bíblia ensina que nosso coração nos engana. Jeremias 17.9 proclama: "O coração humano é mais enganoso que qualquer coisa", o que serve como um necessário alerta contra a insistência em fazer escolhas pouco sábias, sem levar em consideração as implicações dessas escolhas. Um coração enganoso talvez nos sugira que nada está errado, que não há necessidade de arrependimento. E para aqueles de nós que mantêm uma consciência enfática e dolorosa de nossos defeitos, o coração também engana de outra maneira, convencendo-nos de que não somos nem poderíamos ser amados.

O engano é um problema quase tão velho quanto o próprio tempo.

Ao serem criados por Deus, Adão e Eva desfrutavam de uma comunhão irrestrita com o Senhor e entre si. A liberdade impregnava a vida no jardim do Éden; "estavam nus, mas não sentiam vergonha", e assim os primeiros a refletirem a imagem de Deus viviam em dependência feliz e despreocupada do que ele lhes provia. No entanto, quando deram ouvidos ao conselho do maligno, começaram a duvidar da bondade e do amor de Deus. No momento em que decidiram dar peso maior às mentiras de Satanás do que à verdade de Deus, a desobediência e as severas consequências da escolha que fizeram entraram em cena.

A primeira tática utilizada pelo inimigo de nossa alma foi uma mentira, e as mentiras continuam sendo seu melhor estratagema. Com muita frequência deixamos essas mentiras penetrarem nosso coração, e então o coração nos engana; acreditamos que somos insignificantes, inadequados e que ninguém nos ama. Ludibriados por essas mentiras, nós nos comparamos a outros, tentando em desespero alcançar o mesmo nível deles. Em vez disso, precisamos aprender, com aquele que nos criou, a verdade sobre nós mesmos.

O que Deus tem a dizer sobre nós?

Uma das passagens bíblicas que me citavam com maior frequência quando eu me debatia com a insegurança provinha do salmo 139, versículos 13 e 14:

> Tu formaste o meu interior
> e me teceste no ventre de minha mãe.
> Eu te agradeço por me teres feito de modo tão extraordinário;
> tuas obras são maravilhosas, e disso eu sei muito bem.

A poesia é linda, mas, como alguém com um defeito de nascença, não encontrei nela muito consolo. Eu precisava de mais do que uma ideia de que eu havia sido feita "de modo tão extraordinário". Na realidade, fui tecida no ventre de minha

76 • O MITO DA PERFEIÇÃO

mãe com um gene rebelde que causa uma doença rara; como isso poderia ser maravilhoso? Além disso, eu tinha uma vida inteira de provas de como não havia conseguido viver como deveria. Só eu sabia a verdade sobre mim mesma, pensava comigo, e essa verdade não era agradável.

Por fim, comecei a compreender que a verdade sobre mim não se encontra em meus sentimentos a meu respeito, nem no registro de minhas más ações. Em vez disso, como sempre, a verdade se encontra no que Deus diz e se reflete no que Deus faz.

Somos filhos de Deus. Antes de o Pai, o Filho e o Espírito Santo criarem o cosmos, Deus havia decidido criar os seres humanos à sua própria imagem e compartilhar sua vida com eles. Quando os humanos optaram por desobedecer, Deus já havia decidido superar qualquer obstáculo para fazer com que aqueles que levavam sua imagem se tornassem parte de sua família. Não era uma tarefa fácil — exigia que o eterno Filho de Deus se tornasse humano também e se submetesse às limitações da vida humana, inclusive a morte por crucificação. Entretanto, Deus é mais poderoso que a morte, e os propósitos de Deus em nos tornar parte de sua família nunca foram frustrados.

"A todos que creram nele e o aceitaram, ele deu o direito de se tornarem filhos de Deus. Estes não nasceram segundo a ordem natural, nem como resultado da paixão ou da vontade humana, mas nasceram de Deus" (Jo 1.12-13). Esse fato desconcerta a imaginação, não é? O nascimento, a vida, a morte e a ressurreição de Jesus possibilitaram nossa inclusão na família de Deus. Nas palavras de C. S. Lewis: "O Filho de Deus se tornou homem para permitir que os homens se tornassem filhos de Deus".[1] Por causa da obra de Jesus Cristo, fomos adotados pela família de Deus, com todos os direitos e privilégios dos filhos.

Desse modo, a verdade sobre nós é que somos filhos de Deus. Como sabemos que somos pecadores, é fácil nos sentirmos não merecedores dessa posição, mas esta não se baseia em nosso mérito, e sim no amor e na bondade do Pai, do Filho e do Espírito Santo. James Torrance afirma com ousadia: "O propósito primordial da encarnação, no amor de Deus, é nos elevar à vida de comunhão, de participação na própria vida trina de Deus".[2]

Talvez não compreendamos como é fantástico sermos filhos de Deus caso pensemos em Deus como eu pensava no passado, isto é, como um pai desapontado. Contudo, a vida e os ensinamentos de Jesus nos mostram que Deus nos adota como filhos porque nos ama, e que ele faria de tudo para compartilhar sua vida conosco. Essa não é a obra de uma divindade desaprovadora; é a obra de um pai devotado. "Vejam como é grande o amor do Pai por nós, pois ele nos chama de filhos, o que de fato somos! Mas quem pertence a este mundo não reconhece que somos filhos de Deus, porque não o conhece" (1Jo 3.1).

Ao começar a viver com o conhecimento de que somos os filhos amados de Deus, entendemos melhor a verdade que as Escrituras afirmam a nosso respeito.

Cristo vive em nós. Segundo a contagem de James Bryan Smith, a frase "em Cristo" ou "no Senhor" ocorre 164 vezes nas epístolas de Paulo. Muitas dessas passagens são bem conhecidas, como Romanos 8.1: "Agora, portanto, já não há nenhuma condenação para os que estão em Cristo Jesus".

No entanto, é impressionante que Paulo também ressalte que, assim como estamos em Cristo, Cristo está em nós. "Fui crucificado com Cristo; assim, já não sou eu quem vive, mas

Cristo vive em mim" (Gl 2.19-20). "Pois Deus queria que eles soubessem que as riquezas gloriosas desse segredo também são para vocês, os gentios. E o segredo é este: Cristo está em vocês, o que lhes dá a confiante esperança de participar de sua glória" (Cl 1.27). Nas palavras de James Bryan Smith: "Os cristãos não são apenas pecadores perdoados, mas uma *nova espécie*: pessoas habitadas por Jesus e que possuem a mesma vida eterna que ele detém. O Novo Testamento é inequívoco nessa questão".[3]

É tentador crer que nós mesmos tenhamos a capacidade e, portanto, a responsabilidade de superar, por meio de nossos próprios esforços, a insegurança que leva às comparações e que também resulta delas. Muitas vezes acreditei que minha insegurança desapareceria se eu me aprimorasse de alguma maneira específica — melhorando minha aparência, conquistando um determinado diploma, obtendo um emprego diferente, ganhando mais dinheiro, ou seguindo diversos "caminhos para o sucesso". Está claro que o autoaprimoramento é benéfico, em particular na conquista de habilidades e no aumento da autoconfiança. No entanto, o autoaprimoramento não fornece a garantia profunda pela qual ansiamos, não importa o quanto nos esforcemos.

O que precisamos não é de algo que podemos prover sozinhos. Precisamos do milagre de sermos renovados, e é bem isso o que Deus faz por nós: "Logo, todo aquele que está em Cristo se tornou nova criação. A velha vida acabou, e uma nova vida teve início" (2Co 5.17). Essa obra de Deus é a fonte da garantia.

Jim Smith resume a verdade de maneira sucinta: "Esta é sua identidade: você é alguém em quem Cristo vive e se deleita".[4]

Estamos sentados com Cristo. O segundo capítulo de Efésios nos conta que fomos vivificados em Cristo e salvos pela graça por meio da fé. Com o coração agradecido, aceitamos essa notícia, mas às vezes deixamos de entender suas implicações. Efésios 2.6 vai ainda mais longe, afirmando que Deus "nos ressuscitou com Cristo e nos fez sentar com ele nos domínios celestiais, porque agora estamos em Cristo Jesus".

As noções que temos dos "domínios celestiais" mencionados nesse versículo podem distorcer nossa concepção sobre sentar-se com Cristo como algo que ocorrerá em algum ponto futuro caso tenhamos sorte. Entretanto, a linguagem aqui descreve uma ação que Deus já realizou. Os domínios celestiais são o lugar onde Deus reina, e essa é a realidade presente. A morte e ressurreição de Jesus Cristo derrotaram a morte para todos nós; ao confiar em Jesus, já estamos "sentados com Cristo". Aceitos e estimados, temos um lugar à mesa. Mesmo que nos sintamos como se estivéssemos sempre à procura de uma vaga, incertos de sermos bem-vindos, acalentando a esperança de garantir uma posição, Paulo escreve que já recebemos de Deus um assento.

Não há necessidade de tentarmos nos tornar aceitáveis; já fomos aceitos. Não há necessidade de nos defendermos; já fomos perdoados por completo. E não há necessidade de manipulações para conquistar uma posição; já nos foi concedido um assento à mesa.

Em seu livro *Seated with Christ* [Sentados com Cristo], Heather Holleman descreve muito bem:

> Quando nos vemos dessa forma — sentados à mesa e chamados a completar as tarefas que Deus nos atribui —, paramos de nos esforçar tanto para sermos aceitos [...]. Cristo conquistou um lugar para nós, e estamos sentados nele e com ele. Podemos parar de brigar para obter uma vaga.[5]

Não se engane: é difícil de acreditar nesses fatos fantásticos. Muitas vezes enfrentamos dificuldades para ter a mesma opinião elevada de nós que Deus demonstra ter. A sensação é de que seria inapropriado, uma falta de humildade, se nos víssemos como sendo amados e valorizados por Deus. Contudo, manter uma opinião negativa de nós mesmos e rechaçar elogios não são indicadores de um coração humilde.

A verdadeira humildade está em aceitar que não somos a autoridade suprema. Humildade não significa pensar pouco de nós mesmos; é aceitar o que Deus diz sobre nós em vez daquilo que nós dizemos. O que Deus afirma a nosso respeito é a verdade, e Deus afirma que somos seus filhos amados, que Cristo vive dentro de nós, e que ressuscitamos e nos sentamos com Cristo.

Somos a obra-prima de Deus. Uma das dificuldades que enfrentei para acreditar na verdade de Deus a meu respeito foi que eu notava sinais demais que pareciam contradizê-la. Eu me via como a soma de minhas partes, e me comparava a outros como se eles fossem apenas a soma das partes deles. Com esse tipo de abordagem, era fácil imaginar que eu seria muito melhor se possuísse vários dos atributos de pessoas diferentes. Eu imaginava uma mítica mulher-amálgama ideal, que era como uma equação matemática, somando e subtraindo traços diferentes que, em minha imaginação, levariam a um total muito maior do que eu me considerava ser.

No entanto, minha vida não é uma equação matemática, e a vida daqueles com quem me comparei também não é. Nossa vida é algo muito mais complexo e maravilhoso do que a soma de nossas partes. Somos seres completos, cada um de nós criado à imagem de Deus.

Talvez esta seja uma metáfora grosseira, mas percebi que meu modo distorcido de olhar para mim e para os objetos de minhas comparações era como olhar para um bolo apetitoso e enxergar uma lista de ingredientes em vez de algo delicioso. Era fácil para mim ver o que eu acreditava ser um ingrediente superior na receita de outra pessoa e desejar que pudesse incluí-lo em minha própria lista de ingredientes.

Uma de minhas receitas mais requisitadas é de pão de abóbora. Posso lhe dizer agora mesmo o que vai nele: farinha, açúcar, fermento, ovos, óleo, purê de abóbora e especiarias. No entanto, também posso lhe garantir que uma pilha desses ingredientes não vai produzir um bom pão de abóbora. Só a medição e a mistura desses produtos vão gerar a massa saborosa. A adição de algum outro ingrediente — não importa o quão gostoso e tentador este seja — a estragaria. E mesmo a massa preparada de maneira apropriada não é o mesmo que um pão; este surge apenas quando se sujeita a massa ao poder necessário para assá-lo.

Para continuar a analogia, digamos que Deus utiliza ingredientes específicos para gerar cada vida individual e deliciosa. Como um mestre da panificação com poderes ilimitados à sua disposição, Deus é capaz de criar inúmeros deleites. Deus concede a cada um de nós talentos naturais e dádivas espirituais que nos tornam úteis e especiais. Efésios 2.10 nos conta que somos a obra-prima de Deus, o resultado de seu trabalho, criados em Cristo Jesus para realizar o que ele planejou que fizéssemos. Toda a obra de Deus é necessária e benéfica, cada um de nós desempenha um papel nessa obra, e não é tarefa de ninguém desempenhar todos os papéis.

Tantas vezes observei pessoas se debatendo com o sentimento de que, de algum modo, não seriam "o bastante" por um motivo ou por outro. Reconheço esse sentimento, pois me debati com ele também, e a comparação só serve para exacerbá-lo. Contudo, a verdade sobre cada um de nós é muito melhor do que apenas ser "o bastante". Amados por toda a eternidade pelo Pai, redimidos pelo sangue do Filho e vivificados pelo Espírito Santo, cada um de nós possui a dádiva única de ser quem é.

Ninguém jamais conseguiria ser o bastante para cumprir todos os papéis, fazer tudo ou ser independente, e não precisamos ser — estar sozinho não é a vida para a qual fomos concebidos. Gosto da maneira como Larry Crabb expõe essa ideia: "Fomos modelados por um Deus cuja alegria mais profunda é a conexão com ele mesmo, um Deus que nos criou para desfrutarmos do prazer que ele sente ao nos conectar de forma suprema com ele, mas também entre nós. Sentir a alegria da conexão é viver".[6]

Emily Freeman escreve: "Parece-me que quando reconheço enfim minha incapacidade é quando Cristo se mostra *capaz* dentro de mim. Porém, ele não me equipa para realizar todas as tarefas possíveis; ele me equipa para cumprir a tarefa atribuída a mim".[7] Elevados à maravilhosa plenitude da vida como filhos de Deus, somos perfeitamente capacitados para ser o que somos, desempenhar nossos papéis específicos, atender nossas vocações individuais e conectar-nos uns com os outros.

Mas e o que fazer com essa bagunça?

Por mais que preferíssemos pensar em nós mesmos como parte da obra-prima de Deus, sabemos que há muito em nossa vida que não deu certo. A Bíblia nos ensina que todos pecamos, e sabemos que isso é verdade. Magoamos outras pessoas e a nós mesmos. Fomos magoados por outros também. Isso significa que a obra-prima de Deus está arruinada, maculada de forma irrevogável?

Felizmente, não.

O mesmo poder pelo qual o cosmos foi criado por meio da palavra ainda está em operação. Levar ordem ao caos sempre foi a tarefa de Deus, e nenhum poder é maior que o dele. Deus nos criou, e ele pode nos recriar. Só Deus possui o poder de tomar cada parte de nossa vida — os atributos com que nascemos, as experiências pelas quais passamos no decorrer dos anos, os erros que cometemos, as formas como sofremos, tudo o mais — e criar algo novo e melhor a partir disso.

O termo para esse processo de resgate e recriação, para o ato de levar ordem ao caos e de transmitir vida, é *redenção*. E é algo milagroso.

Por mais que tenhamos a certeza intelectual de que Deus é todo-poderoso, às vezes nos esquecemos de que Deus é bastante capaz de realizar milagres em nossa vida. Talvez meçamos as habilidades de Deus como análogas a nossos próprios míseros recursos, na esperança apenas de sermos perdoados quando pecarmos; afinal, o perdão é algo difícil para nós. Queremos que Deus ignore nossos erros; desejamos que nossas circunstâncias fossem como se nunca houvéssemos pecado. Porém, Deus é capaz de algo melhor do que isso.

Deus enxerga a diferença entre o início e o fim. Enxerga o que contribui para nossos erros. Enxerga dentro do nosso coração e do coração de todos que são afetados por nossos pecados. Ele leva em consideração todos os sofrimentos que enfrentamos, tanto nas mãos de outros como nas nossas. Ele olha para tudo isso com olhos de amor eterno, pelos quais vê o que precisa ser feito para produzir cura e plenitude, a fim de nos recriar.

Em conversa com minha amiga Robin outro dia, ela me contava sobre uma boa ação que havia realizado, quando se deteve e acrescentou:

— É claro, sei que não passo de uma pecadora.

Pedi então a Robin, que tem uma filha adulta, que descrevesse a filha para mim em 25 palavras ou menos. Notei que os olhos de minha amiga se iluminaram e que seus lábios se curvaram num sorriso.

— Ela é linda. Corajosa e sábia. Alguém que ama Jesus, amiga de todos, e defensora dos pobres. Ela é minha inspiração.

(Robin é muito boa com as palavras.)

— Por que você não descreveu sua filha como um abutre de coração negro? — perguntei. — Ela não é pecadora?

— Claro que é, mas não é assim que penso nela — respondeu Robin.

— Por que não? — inquiri.

— Porque eu a amo — ela replicou.

— E por que você a ama? — insisti.

— Porque ela é minha filha — foi a resposta rápida de minha amiga, agora com um olhar perplexo.

— Se é assim que você se sente por sua filha, como imagina que seu Pai no céu se sente por você? — indaguei, sabendo a resposta.

Nossa visão é distorcida. Talvez nos vejamos por olhos de condenação e censura, mas não é assim que Deus nos vê. Sofremos as consequências de nossas escolhas ruins, mas o amor de Deus por nós é resoluto, seu poder de nos redimir é inabalável, e sua disposição de trabalhar conosco é inesgotável.

Aliás, o salmo 139 — inclusive o versículo sobre ser "feito de modo tão extraordinário" — foi escrito por Davi, o jovem pastor que veio a se tornar o segundo rei de Israel. Apesar de ser o perpetrador infame de uma das séries mais horrendas de pecados registrados na Bíblia (quantos personagens são culpados de luxúria, cobiça, estupro, adultério, conspiração,

A VERDADE SOBRE NÓS MESMOS • 85

e assassinato, tudo num só episódio?), Davi é lembrado em Atos 13.22 como "um homem segundo o coração de Deus". É evidente que há mais nisso do que apenas o histórico de Davi. O mesmo se aplica a nós.

Sabemos que nossa vida tem sido maculada pelo pecado, conspurcada por erros e más escolhas, moldada pelo sofrimento. Deus não nos impede de realizar escolhas ruins, assim como não impediu Adão e Eva de tomarem a primeira decisão ruim. Contudo, a verdade impressionante a nosso respeito é que, por sermos filhos amados do Deus trino, ele opera em nossa vida para nos resgatar e redimir, aceitando-nos como somos, possibilitando que façamos sua vontade e transformando-nos nas pessoas que desejamos ser. O resultado milagroso é que, além de nossos *dons naturais* e *dons espirituais*, todos acabamos recebendo *dons redentores* também. Temos mais a oferecer, não menos, por causa do que enfrentamos.

Talvez fantasiemos sobre como seríamos melhores se possuíssemos os atributos, dons ou bens materiais que pertencem às pessoas a nosso redor, mas Deus é mais sábio. O artesanato de Deus é uma obra contínua, modelando e remodelando cada um de nós nos indivíduos que ele nos concebeu para ser, recriando todos nós para que pareçamos cada vez mais com Jesus e formando uma comunidade onde cada um de nós é uma parte indispensável do todo.

* * *

Sempre me recordarei da semana que minha mãe passou comigo após o nascimento de meu filho.

Mamãe viera me ajudar a me ajustar à maternidade, e ninguém teria conseguido fazer um trabalho melhor. Todas as manhãs, sabendo que eu havia ficado acordada a noite inteira alimentando o bebê, ela limpava a cozinha, varria os assoalhos e lavava a roupa. Preparava o café da manhã para mim e segurava o neto enquanto eu tomava uma ducha. Esterilizava a pia da cozinha para que eu banhasse o bebê sem ter que me inclinar sobre a banheira. Ria comigo à medida que eu descobria como trocar fraldas, abotoar macacõezinhos e minicamisas. Em resumo, ela foi fantástica.

Durante aquela semana especial, ela e eu tivemos uma conversa que se destaca em minha memória. Quando lhe relatei todos os detalhes do trabalho de parto e do nascimento de meu filho, ela me contou suas lembranças sobre meu nascimento.

Nasci numa época em que era hábito de alguns médicos colocar a mãe sob anestesia durante o parto. O pai se sentava ou andava de um lado para o outro na sala de espera durante todo o processo. Quando o bebê nascia, o recém-nascido era levado de imediato para o berçário para ser limpo, a mãe era transportada para a sala de recuperação, e o médico se dirigia à sala de espera para informar o pai se a criança era menino ou menina. Mais tarde, uma enfermeira trazia o bebê bem limpinho e embrulhado numa manta para ser admirado pelo pai e pela mãe.

Minha mãe me contou que, quando nasci, o obstetra se encaminhou à sala de espera para informar meu pai sobre meu nascimento. Aparentemente, o médico disse algo como: "É uma menina, mas há algo errado. Ela possui um enorme sinal de nascença. Não temos certeza do que o causou ou se ele causará problemas, por isso vamos realizar alguns testes. Não conte à sua esposa".

"Como você pode imaginar", mamãe me revelou, "seu pai me falou sobre o sinal de nascença assim que entrou no quarto. Então eles a trouxeram. Estávamos tão aliviados ao ver que você estava bem."

Saber que meus pais nunca tiveram a oportunidade de ver sua filha recém-nascida apenas como um belo bebê partiu meu coração. Meu sinal de nascença não cobre nenhuma parte de minha cabeça, de forma que, envolta pela manta, eu não teria parecido diferente dos outros bebês. No entanto, nem por um momento eles puderam me ver assim. Desde então, tenho me perguntado se de algum modo desenvolvi, no dia de meu nascimento, alguma sensibilidade sobre meu sinal e a tendência a me comparar com outros. Não sei a resposta para isso; suponho que nunca saberei.

Entretanto, não é verdade que eu seria alguém melhor sem meu sinal. Minha vida talvez tivesse sido mais simples em alguns momentos, e é tentador pensar que mais simples é o mesmo que mais saudável, mais feliz ou mais santo. Porém, essa é uma premissa falsa, tão falsa quanto a ideia de que uma combinação imaginária de características comporia uma pessoa de mais valor do que a que sou de verdade.

A verdade sobre mim — e sobre todos nós — é muito maior do que o produto de nossa imaginação.

Levando em consideração cada fragmento de nossa identidade, mesmo as partes que preferiríamos negar ou esconder, Deus nos estima tanto que nos acolhe e nos toma para si. Não há nenhuma necessidade de amálgamas de homens ou mulheres; cada um de nós é um pacote inigualável de características físicas, emocionais, intelectuais e espirituais que habitam um filho de Deus, valorizado e amado além de nossos sonhos mais ousados. Mesmo que as pessoas reais sintam que seu "exterior esteja morrendo, [seu] interior está sendo renovado a cada dia" (2Co 4.16).

"Confie no SENHOR de todo o coração; não dependa de seu próprio entendimento", aconselha o autor de Provérbios 3.5.

É algo particularmente difícil de fazer quando se trata de nossa opinião sobre nós mesmos, não é? No entanto, a alegria surge ao confiarmos no Senhor, nos agarrarmos à verdade de que somos seus filhos amados, aceitarmos nosso lugar à sua mesa, e aguardarmos com otimismo a maneira como seremos renovados.

PARA REFLEXÃO E DISCUSSÃO

1. Faça uma lista de fatos a seu respeito que você sabe que são verdadeiros.
2. Examinando essa lista, coloque uma estrela ao lado de cada fato positivo e circule cada fato negativo. Você acredita que possui um viés negativo sobre si mesmo? Se for esse o caso, por quê?
3. Você já parou para pensar que Deus o adotou como um de seus filhos e que Cristo vive e se deleita dentro de você? Imagine como os melhores pais observam os filhos. Consegue imaginar Deus olhando para você desse jeito? Por que sim, ou por que não?
4. Leia Efésios 2.1-10. Considere o fato de que você já está "sentado com Cristo". Você tem lutado para conquistar um lugar à mesa de algum modo? Em caso positivo, que modo é esse?
5. Um dia por semana, leia o salmo 139. Tente lê-lo em uma versão diferente da Bíblia a cada dia (o aplicativo YouVersion é uma excelente ferramenta para isso). Ore sobre o último versículo desse salmo e peça a Deus que o conduza "pelo caminho eterno" à medida que você aprende a verdade a seu próprio respeito.

6
A verdade sobre os outros

Mas, se vivemos na luz, como Deus está na luz,
temos comunhão uns com os outros.

1João 1.7

Há muito tempo que escrevo na internet. Quando comecei, escrever em *blogs* era apenas um passatempo para quase todos os envolvidos nessa atividade. Estávamos todos felizes pela possibilidade de nos conectarmos uns com os outros virtualmente. Não muito tempo depois, porém, os blogueiros descobriram oportunidades para transformar a atividade numa carreira.

Muitas de minhas amigas encontraram enorme sucesso na internet. Quando uma delas alcançou um importante marco profissional, eu queria parabenizá-la. Busquei o cartão perfeito para lhe enviar, e encontrei um que expressava meus sentimentos com precisão: "Sinto tanto orgulho e inveja de você".

Com toda a honestidade, eu estava orgulhosa dela. Havíamos nos conhecido quando estávamos as duas começando a vida de blogueiras. Havíamos participado de conferências juntas, compartilhado ideias e promovido o trabalho uma da outra. Eu sabia o quanto ela havia trabalhado duro para conquistar o sucesso, e queria de verdade celebrar com ela. No entanto, esse era apenas o lado luminoso da história.

O lado sombrio é que eu me comparava de forma implacável com ela. A verdade é que eu queria o que ela possuía.

O cartão fez disso uma piada, mas não era engraçado. Quando comparei minhas realizações como blogueira com as dela, senti ciúmes de tudo que ela havia conseguido. Eu contava com centenas de leitores; ela contava com milhares. Ela não precisava procurar por patrocinadores; as empresas a procuravam, implorando que anunciasse os produtos delas. Durante todo o processo, ela se manteve elegante, graciosa e humilde.

Eu me sentia tão impressionada com as conquistas dela quanto incerta em relação a mim mesma e minhas habilidades. Os dons e talentos de minha amiga brilhavam de forma intensa em minha estimativa, e sob essa luz eu enxergava minhas imperfeições com muito mais clareza. Olhava de uma para outra, comparando minha situação com a dela, na esperança de me sentir melhor comigo mesma, mas fracassando por completo.

"Com certeza, há algo errado comigo", pensei. Minha amiga era bem-sucedida; era evidente que eu deveria ser mais como ela. A meu ver, o sucesso dela servia para indicar meu fracasso.

E esses eram apenas os sentimentos que eu nutria em relação à minha amiga blogueira. Ao mesmo tempo, sentia admiração e um ressentimento secreto por uma amiga bem próxima que, como eu, era mãe. Ela se mostrava incansável nos trabalhos voluntários, mantinha a casa sempre limpa, e os filhos comiam verduras e legumes e gostavam disso. Por que eu não conseguia ser mais como ela?

Além disso, havia a outra amiga, executiva numa empresa, com um calendário organizado por cores e com vestuário impecável. Quando observava sua elegância e habilidade administrativa, eu me impressionava, mas também me sentia um pouco intimidada. Perto dela, minha vida parecia bem bagunçada, quase caótica.

Pelo menos, era assim que eu me sentia. É claro que eu não sabia todos os detalhes da vida dessas amigas. Sem dúvida elas conviviam com seus próprios temores e fracassos, mas eu tendia a me esquecer desse fato.

Eu amava todas essas pessoas. Sentia gratidão por tê-las em minha vida. Entretanto, ao observar minhas amigas com o olhar estreito da comparação, não as enxergava com clareza. Cada uma delas me parecia maravilhosamente completa, sem que lhes faltasse nada. Fosse algum aspecto da aparência física, um talento, um traço agradável de personalidade, um dom espiritual ou uma forma de sucesso, tudo o que eu via era o que me faltava. Minha visão se resumia a minhas desvantagens ou deficiências. E não é de admirar: quando eu me fixava em tecer comparações contínuas entre mim e os outros, meu foco não estava de fato nos dons e atributos deles; no fim das contas, meu foco sempre retornava a mim.

Sei hoje que não estava vendo o panorama completo, nem mesmo uma parte do panorama verdadeiro; eu via, na melhor das hipóteses, uma imagem distorcida. Pouco a pouco, venho aprendendo que o panorama verdadeiro é muito maior e melhor do que eu poderia imaginar.

O panorama verdadeiro — que contradiz radicalmente o modo como eu sempre havia visto tudo — é que cada um de nós é amado e valorizado pelo Pai; redimido pelo sacrifício de Jesus; e vivificado, transformado e capacitado pelo Espírito Santo. A Trindade opera na vida de todos nós, e somos filhos queridos. Cada um de nós está seguro no amor de Deus, e nenhum de nós é supérfluo para o trabalho dele neste mundo.

O fato de que outra pessoa possui um dom ou talento de que não disponho não indica uma deficiência em mim; antes, demonstra a beleza da criação de Deus.

Deus me mostrou de forma meticulosa que ele me concedeu uma família e amigos — essas mesmas pessoas com quem eu sempre havia me comparado — como queridos irmãos e irmãs. Fomos todos criados por Deus, que é em si uma comunidade perfeita de amor, para que nos relacionemos com ele e uns com os outros. Deus abençoou cada um de nós com amor, aceitação e dons a serem empregados para abençoar os outros. Em meus melhores momentos, sou capaz de ver que nossos relacionamentos são complementares: eles me abençoam, eu os abençoo, e cada um de nós abençoa os outros. Além disso, quando todos trabalhamos juntos, abençoamos os outros de formas que nenhum de nós conseguiria fazer sozinho.

Quando me via presa às comparações entre mim e os outros, a bênção me passava despercebida. O ato de comparar me mantinha focada nas carências que notava em mim, não no que eu havia doado ou no que eu tinha para oferecer. No entanto, estou enfim aprendendo que Deus nos concedeu a todos dons e talentos, e nos convidou a todos para viver em comunhão com a Trindade e uns com os outros. Nenhum de nós possui todos os dons, nem precisamos deles.

Deus me guiou repetidas vezes a Romanos 12, em que Paulo escreve especificamente sobre como os cristãos deveriam viver em resposta à misericórdia divina. Lembrando os leitores de que são todos membros do corpo de Cristo, Paulo explica que as diferentes partes do corpo possuem funções diferentes, e que todas as partes trabalham juntas e pertencem a todos os outros. Ele prossegue, listando alguns dos diferentes dons que os indivíduos teriam recebido do Espírito Santo, e instruindo cada um sobre como exercer essas dádivas.

Não é um alívio saber que Paulo se referia a pessoas diferentes com dons diferentes? Muito da pressão que sempre senti vinha da noção equivocada de que eu precisava ser — de que Deus esperava que eu fosse — boa em tudo. Quando me vi na armadilha das comparações, de algum modo imaginei que era minha missão possuir todos os dons, como se Deus exigisse que eu fosse exemplar como profetisa, serva, professora, incentivadora, doadora, líder e auxiliar. Eu estava errada, mas acreditava nisso.

Garanto a você: esse tipo de vida é exaustivo.

Entretanto, a vida que Deus concebeu para nós envolve confiança, compaixão e comunidade, e não isolamento e exaustão. Trata-se de uma vida cheia de bondade com os vastos recursos, o amor infalível e o plano brilhante de Deus.

Feitos para nos relacionarmos

Logo depois que meu marido e eu ficamos noivos, minhas amigas às vezes me perguntavam sobre nosso relacionamento.

— Não tenho certeza de que tenho coragem de me casar — confessou-me uma delas.

Com todos os meus vinte e um anos de sabedoria, eu não conseguia imaginar de jeito nenhum que se casar exigisse coragem, por isso perguntei o que ela queria dizer.

— Tantos casamentos não dão certo — observou ela. — Como você sabe que o seu vai dar?

Eu tinha a resposta na ponta da língua.

— É porque esses relacionamentos não eram fortes — afirmei. — O nosso é forte. É especial. Fui feita para ser a esposa do Jack.

— É um conto de fadas que se transformou em realidade! — exclamou ela.

Eu apenas sorri, grata por minha boa sorte.

Oh, céus. Só imaginar a cena dá um pouco de vontade de vomitar, não dá?

É provável que você consiga adivinhar no que aquilo deu. Depois de alguns anos de vida real, descobri que meu relacionamento com meu marido não era nem de longe tão especial quanto eu havia imaginado. Aprendi bem rápido que não havia sido feita sob medida para ser a esposa dele.

Contudo, mesmo em minha ingenuidade juvenil, eu pelo menos estava no caminho certo. Embora não houvesse sido concebida especificamente para ser esposa do Jack, nem ele para ser meu marido, nós *fomos* concebidos para um relacionamento.

Na realidade, toda a humanidade foi criada para um relacionamento.

Fomos concebidos para *entrarmos* num relacionamento porque fomos concebidos *por* um relacionamento.

Lembre-se: nosso universo não foi criado por um Deus solitário, sozinho em seu trono, que decidiu simplesmente que deveria haver muitas pessoas para povoar a criação dele. Em vez disso, este mundo foi a obra de três pessoas trabalhando juntas: Deus Pai, Deus Filho e Deus Espírito Santo.

Examine de novo as belas palavras da narrativa da criação encontradas nos capítulos de abertura das Escrituras. As palavras poéticas de Gênesis 1 nos contam que, ao término de cada dia de trabalho criativo, Deus pronunciou que o resultado era bom. Luz? Bom. Terra separada das águas? Bom. Flores, grama, árvores? Bom. Pássaros e peixes? Bom. Animais? Bom. Pessoas? *Muito* bom.

A seguir, Gênesis 2 nos oferece alguns detalhes adicionais. Tudo o que Deus criou era bom, já sabemos. No entanto, esse capítulo proclama com ousadia que havia uma única coisa que não era boa. Deus, ao observar o homem, criado à sua própria imagem, viu que *não* era bom que o homem permanecesse sozinho. Por que isso?

O trabalho de criar o cosmos foi realizado pela Trindade, um Deus em três pessoas num relacionamento amoroso. Assim como Deus desfrutava de um relacionamento dentro de si, Deus concebeu os seres humanos — criados à sua própria imagem — para desfrutarem de um relacionamento também. Adão e Eva foram criados por um Deus que sempre existiu em perfeita comunidade, um Deus que entende a importância dos relacionamentos, um Deus que sabe que *a comunidade é a melhor solução*.

Os seres humanos, feitos à imagem de Deus, não foram concebidos para permanecerem sozinhos. Deus é social, não solitário; o relacionamento faz parte da natureza de Deus. O Deus trino criou a humanidade "para ser um reflexo do que Deus é: pessoas em perfeita comunidade e harmonia".[1]

Como parte de sua criação perfeita, Deus concebeu os seres humanos não apenas para viverem juntos, mas também para trabalharem juntos. Embora ele governe sobre tudo, Deus encarregou aqueles que levam sua imagem da responsabilidade de governarem a terra, o que inclui a tarefa de gerar descendentes para preenchê-la. Pense nisto: de todos os esquemas possíveis que Deus poderia ter imaginado para povoar a terra e garantir a continuação da humanidade, ele concebeu um método que exigiria relacionamentos — ou, pelo menos, a cooperação íntima — entre aqueles que levam sua imagem, cada um desempenhando um papel insubstituível.

E mesmo depois que a alegria e a paz do jardim do Éden foram perturbadas pela entrada do pecado no mundo, Deus não alterou sua concepção. A continuação e proliferação da humanidade pela face da terra ainda era *dependente de relacionamentos*.

Relacionar-se é bom. É algo de que a Trindade sempre desfrutou, e é fundamental para a concepção da criação de Deus. Deus Pai, Filho e Espírito Santo — uma bela comunidade de amor que estava determinada a compartilhar a alegria e bondade dessa comunidade com os que foram criados à imagem de Deus. É Dallas Willard quem melhor expressa essa ideia:

> A meta de Deus na história da criação é uma comunidade que inclui todas as pessoas que amam, com o próprio Deus no centro absoluto dessa comunidade como principal Provedor e Habitante mais glorioso. A Bíblia remonta a formação dessa comunidade desde a criação no jardim do Éden até o início de novo céus e nova terra.[2]

O isolamento nunca fez parte da experiência de Deus, e não foi para a vida isolada que Deus concebeu aqueles que levam sua imagem. A comparação, em sua própria natureza, é isoladora; ela nos coloca de um lado da balança e coloca as outras pessoas do outro. Uma vez que fomos concebidos e criados para relacionamentos, a comparação vai contra os propósitos e planos de Deus.

Tudo em família

Quando meu marido e eu já estávamos casados fazia vários anos, decidimos que queríamos ter filhos. Como outros jovens casais, enfrentamos uma miríade de perguntas: Conseguiríamos tomar conta de uma criança da maneira adequada? Será que o amor que sentíamos um pelo outro se estenderia para incluir outro ser humano? Sobreviveríamos como casal?

A VERDADE SOBRE OS OUTROS • 97

Reagimos com empolgação quando nosso filhinho nasceu, embora ambos nos sentíssemos um pouco intimidados quando assinamos os documentos de alta do hospital e compreendemos que nenhum funcionário autorizado iria conosco para casa. Como acontece com todos os novos pais, tivemos que descobrir tudo por conta própria, e cometemos muitos erros. Ao longo do caminho, porém encontramos respostas para nossas perguntas. Descobrimos que o amor que compartilhávamos como casal foi multiplicado muitas vezes quando o compartilhamos com o bebê. Percebemos por nós mesmos que a concepção de família era boa.

Tudo correu bem em nosso pequeno lar à medida que aprendíamos sobre o milagre do amor que cresce quando a vida é compartilhada — até decidirmos expandir ainda mais a família. Nunca me esquecerei da reação de meu filho mais velho quando o irmãozinho chegou do hospital.

Will havia se mostrado entusiasmado com a perspectiva de ter um irmão ou irmã caçula. Vestindo com orgulho uma camiseta que anunciava "Sou o irmão MAIOR", ele soltou exclamações de encanto ao ver o bebê e lhe beijou a testa minúscula. Então, bem quando eu estava prestes a parabenizá-lo por ser um irmão tão doce, Will fez uma careta e agarrou a cabeça de Preston, apertando-lhe o crânio com toda a força que suas mãozinhas gorduchas eram capazes de produzir aos dois anos de idade.

A verdade era que a *ideia* de ter um irmão mais novo era mais divertida do que a *realidade* disso.

Suponho que, do ponto de vista de Will, o novo bebê utilizava recursos que, até então, haviam sido devotados somente a ele. Tudo agora precisava ser compartilhado: desde o tempo e a atenção até o espaço no colo. O que Will não conseguia entender aos dois anos é que o amor de seus pais não diminuiria

98 • O MITO DA PERFEIÇÃO

por causa da presença de outra criança; só seria multiplicado. Sabíamos que a vida de Will seria bastante enriquecida com a chegada do irmão, mas ele não tinha tanta certeza.

Às vezes, penso que é assim que nos vemos uns aos outros. Por mais que nos alegremos por termos irmãos e irmãs, não nos sentimos de todo convencidos de que há amor e bênçãos suficientes para todos. Nós nos comparamos uns com os outros, disputando atenção, amor, aceitação e todos os outros recursos positivos. Quando notamos que outra pessoa é abençoada com um talento que admiramos ou que ela desfruta de um dom que desejamos, é muito fácil para nós — assim como para meu filho de dois anos — esquecermos que há o bastante para todos.

O Antigo Testamento nos oferece muitas histórias de pessoas que compartilhavam nossas inseguranças, inúmeros episódios de desconfiança em Deus e desprezo por outros. Deus, porém, em seu compromisso resoluto com aqueles que levam sua imagem, nunca desistiu da intenção de criar uma comunidade de pessoas amorosas com ele ao centro. Trabalhando primeiro por meio de Abraão, e a seguir por meio dos descendentes deste, Deus não nos abandonou; em vez disso, tornou--nos parte de sua família.

O relacionamento entre o Pai, o Filho e o Espírito Santo — um belo círculo de amor generoso e abnegado — sempre existiu. Ao nos adotar como filhos, Deus nos concedeu todos os privilégios de sermos seus filhos, e o círculo dessa comunhão se estende para nos incluir. "A única suficiência humana", escreve Dallas Willard, "vem da união à comunidade trinitária da suficiência por meio da fé em Jesus Cristo."[3]

E, como membros da família de Deus, somos todos membros da família uns dos outros. Se Jesus é o irmão de cada um de nós, então somos todos irmãos e irmãs. John Stott expressa

essa noção da seguinte maneira em *A cruz de Cristo*: "O próprio propósito de ele se entregar na cruz não foi apenas salvar indivíduos isolados, e assim lhes perpetuar a solidão, mas sim criar uma nova comunidade cujos membros pertenceriam a ele, se amariam uns aos outros e serviriam o mundo com entusiasmo".[4]

Fomos criados por um Deus que compreende relacionamentos, que sabe que eles são importantes, e que nos concebeu para vivermos juntos e trabalharmos uns com os outros, não uns contra os outros.

Segundo a concepção de Deus para os que levam sua imagem — a concepção modelada pela Trindade —, devemos nos definir como estando *num relacionamento com* Deus e as outras pessoas. Você e eu não fomos concebidos para permanecermos sozinhos. Ninguém foi. Embora alguns de nós vivam sós, a vida de todos nós ainda está entrelaçada de maneiras incontáveis. Somos todos filhos de Deus, convocados e equipados para viver na luz do amor de Deus e para trabalhar com nossos irmãos e irmãs.

Quando me recordo de que minha vida é parte do círculo da comunhão trinitária, consigo parar de usar as outras pessoas como parâmetros pelos quais me julgar. Afinal, o sucesso delas não me priva de nenhum sucesso meu. A felicidade delas não diminui a minha. O fato de possuírem dons elevados não significa que eu não seja dotada. Na realidade, somos *todos* dotados. Fomos feitos para trabalhar juntos, cada um de nós seguro no amor infindável de Deus e equipado para compartilhar as bênçãos do Senhor. Quando mantenho isso em mente, consigo me deleitar com os outros e com minha necessidade de tê-los à minha volta. Consigo exultar ao *complementá-los* em vez de *competir* com eles.

100 • O MITO DA PERFEIÇÃO

A mesma passagem em Romanos 12 que destaca vários dons confiados a cristãos diferentes contém certas instruções a todos os cristãos, independentemente de quais sejam seus dons individuais. "O amor de vocês deve ser sincero. Odeiem o mal e apeguem-se ao bem", insta Paulo. "Amem uns aos outros com carinho de irmãos. Cada um de vocês dê mais honra ao seu irmão do que a si mesmo" (Rm 12.9-10, VFL).

O quê? Ao listar tantos dons diferentes, Paulo adverte os leitores para que se ajudem uns aos outros com bondade e carinho, sugerindo que nenhum dos dons era mais importante do que qualquer outro. Dessa maneira, contudo, Paulo encoraja um pouco de competição: "Cada um de vocês dê mais honra ao seu irmão do que a si mesmo". Como é possível? E como isso funcionaria?

O quadro da não comparação

O início do Antigo Testamento contém a triste história de Caim e Abel, uma situação de família em que a comparação levou a um mal terrível. No entanto, o começo do Novo Testamento traz um tipo diferente de história de família. Trata-se de uma situação em que a comparação poderia facilmente ter estragado todo o quadro, mas não foi o que aconteceu.

Você talvez se lembre da história. Poucos meses antes do anjo Gabriel fazer o famoso anúncio a Maria de que ela teria um filho chamado Jesus, um anjo fez outra visita importante. Gabriel havia aparecido a um velho sacerdote chamado Zacarias e o informado de que sua esposa estéril, Isabel, teria um filho. "[Ele] será cheio do Espírito Santo, antes mesmo de nascer" (Lc 1.15).

Seis meses mais tarde, Gabriel visitou Maria, surpreendendo-a com a notícia de que ela teria um bebê. O anjo explicou que o Espírito Santo viria sobre ela e que a criança seria o Filho de Deus. A seguir, Gabriel compartilhou com Maria a novidade bastante relevante de que a prima dela também estava com uma gravidez inesperada. Não é de admirar que Maria não tenha perdido tempo para ir visitar Isabel.

Imagine a cena. Isabel suportou anos de esterilidade e agora finalmente pode celebrar a espera de um bebê especial. De repente, recebe a visita da prima adolescente, Maria. Isabel descobre que Maria não só está grávida, mas na verdade ainda é virgem, e o bebê que espera é o Filho de Deus.

Eu teria simpatizado com Isabel se ela houvesse comparado sua situação com a de Maria. Eu teria me identificado com Isabel se ela houvesse sentido inveja de Maria e desapontamento pelo fato de que o filho da prima se tornaria mais importante do que o dela. Contudo, Isabel não fez nada disso. Em vez disso, somos informados de que, quando ouviu "a saudação de Maria, o bebê de Isabel se agitou dentro dela, e Isabel ficou cheia do Espírito Santo" (Lc 1.41). Pelo jeito, tanto Isabel quanto o bebê reconheceram o Espírito Santo que havia vindo sobre Maria.

O que aconteceu a seguir é, a meu ver, uma das cenas mais belas de toda a Escritura. Isabel exclama em voz alta:

> Você é abençoada entre as mulheres, e abençoada é a criança em seu ventre! Por que tenho a grande honra de receber a visita da mãe do meu Senhor? Quando ouvi sua saudação, o bebê em meu ventre se agitou de alegria. Você é abençoada, pois creu no que o Senhor disse que faria!
>
> Lucas 1.42-45

Imagine só o que as palavras de Isabel devem ter significado para Maria! Gabriel havia proclamado que Maria era

102 • O MITO DA PERFEIÇÃO

abençoada, e Maria confiava em Deus. Porém, a bênção de Isabel deve ter exercido um forte impacto sobre ela, revigorando-lhe o espírito e fortificando-lhe a coragem. Depois de receber a bênção de Isabel, Maria cantou: "Minha alma exalta ao Senhor! Como meu espírito se alegra em Deus, meu Salvador!" (Lc 1.46-47).

Como escreve Sophie Hudson: "O contentamento e a confiança de Isabel em seu próprio chamado a deixou livre para abençoar a jovem prima".[5] E essa bênção levou Maria a glorificar o Senhor.

As Escrituras nos revelam que Maria permaneceu com Isabel por três meses depois disso. Não recebemos mais detalhes sobre esse tempo que passaram juntas, mas gosto de imaginar o que deve ter acontecido. Ambas enfrentaram circunstâncias desafiadoras: uma mulher idosa nos últimos estágios de gravidez e uma jovem no que aparentava ser uma situação escandalosa como mãe solteira. Entretanto, sem se deixarem abalar por comparações, foram capazes de se ajudar uma à outra. À medida que ambas se preparavam para o nascimento dos filhos, aposto que toda uma série de bênçãos mútuas foi trocada.

O poder de abençoar

Qual é o segredo dessa bênção mútua? O que fazer para sermos assim? Como cada um de nós pode dar mais honra ao irmão do que a nós mesmos, como exorta Romanos 12?

Agindo por conta própria, não conseguiremos. Por anos, quando eu lia passagens como Romanos 12, eu retorcia as mãos ou talvez desse de ombros, pensando que tentar obedecer a essas instruções era só mais um modo pelo qual eu fracassaria.

Contudo, não agimos por conta própria.

Em outra carta, desta vez à igreja em Corinto, Paulo também trata do assunto dos diferentes dons do Espírito Santo confiados aos membros da igreja de lá. Aqui, Paulo vai ainda mais longe ao explicar que todas as diferentes partes do corpo são essenciais, mas que todas compõem um corpo único. Em 1Coríntios 12.12, Paulo afirma com veemência: "O corpo humano tem muitas partes, mas elas formam um só corpo".

Parece que os irmãos e irmãs de Corinto comparavam seus dons e classificavam alguns como sendo mais importantes do que outros. Paulo os corrige com firmeza, apontando que até mesmo a posse de dons impressionantes como falar em línguas, profetizar ou doar não têm nenhum significado se não forem realizados em "um estilo de vida que supera os demais", que é o estilo do amor.

Em 1Coríntios 13 encontramos a descrição dessa forma de amor. Esse amor é gentil, protetor, confiante, esperançoso, perseverante. Não é ciumento, nem presunçoso. Esse amor não é orgulhoso, grosseiro, egoísta, nem se irrita com facilidade. Não se alegra com o mal. Nunca falha. É o tipo de amor que Deus sente por nós, e o tipo que precisamos sentir uns pelos outros.

Esse tipo de amor não é algo que tenhamos como invocar para nós mesmos, mas o mesmo Espírito Santo que veio sobre Isabel e Maria age hoje em dia. O Espírito Santo nos enche com esse amor, permitindo-nos conhecer uns aos outros e aprender as histórias uns dos outros. Quando aprendemos que todos enfrentamos desafios e dificuldades, podemos desenvolver o tipo de empatia que nos leva a querer ajudar uns aos outros. Se estivermos dispostos a seguir a orientação do Espírito Santo, seremos capacitados para exercer com liberdade os dons que nos foram concedidos. Cada um de nós poderá exercer seu próprio papel crucial com o coração leve, entendendo que todos precisamos uns dos outros.

Tenho uma amiga que é uma médica de sucesso. A vida dela me parece praticamente perfeita, e muitas vezes me sinto inadequada quando me comparo com ela. No entanto, ao conhecê-la melhor, percebi que o que parecia uma vida tão invejável apresentava suas desvantagens, inclusive a falta de tempo para atividades que eu dava como garantidas. À medida que desenvolvemos nosso relacionamento, fui capaz de deixar de lado meus sentimentos de insuficiência e me conectar com ela como amiga e irmã. Nós duas contribuímos com nossos dons e nossas perspectivas únicas para o relacionamento. Por exemplo, ela me ofereceu conselhos médicos; eu servi como mentora em seu grupo de estudos bíblicos. A vida de ambas foi enriquecida.

A bênção não se origina de nós, afinal; ela provém da fonte ilimitada da Trindade. Honrar uns aos outros não esvazia o suprimento de honra. Amados, aceitos e fortalecidos por Deus, podemos amar e aceitar uns aos outros. Apanhados no círculo trinitário da vida, somos capacitados para viver em relacionamentos de submissão, amor e bênção mútuas.

Abençoados por Deus, somos capazes de abençoar uns aos outros.

Abençoar, sem impressionar

Às vezes, ainda é fácil me esquecer de que o Espírito Santo me dá forças para viver dessa maneira.[6] Se eu não tomar o cuidado de manter a sintonia com o Espírito, posso com enorme facilidade escorregar para os hábitos de comparação, autossuficiência e ansiedade.

A VERDADE SOBRE OS OUTROS • 105

Lembro-me de forma vívida de uma dessas ocasiões. Eu enfrentava uma dessas semanas em que me perguntava: "Onde deixei meu manto de super-heroína?". Você sabe como é.

No entanto, algo importante me aconteceu naquela semana. Em meio a um dos dias mais ocupados, uma amiga me perguntou como eu estava, e, graças a Deus, respondi com honestidade: "Frenética".

Minha amiga me pediu mais detalhes, e eu os compartilhei: além das atividades e responsabilidades normais da semana, era aniversário de meu filho, eu ofereceria um jantar para um cliente importante, e estava me preparando para uma viagem a negócios que me manteria longe de casa por uma semana. Com hora marcada no cabeleireiro e no dentista para complicar ainda mais, eu tinha coisas demais para fazer, mas não tinha tempo suficiente para fazê-las, pelo menos não como eu *queria* fazê-las.

E como eu queria fazê-las? Bem, eu tinha exemplos excelentes. Uma de minhas amigas consegue tornar cada celebração em família uma experiência inesquecível. Outra é uma anfitriã impecável. E uma terceira lida com viagens de negócios com aparente facilidade. Eu queria realizar tudo pelo menos tão bem quanto as pessoas com quem me comparava, se não melhor do que qualquer um seria capaz.

Eu havia parado para pensar em como era privilegiada? Dei um tempo para considerar como minha vida era rica, cheia de bênçãos? Nem um pouco. Em vez disso, deixei-me desgastar tentando ser a melhor em tudo.

Minha amiga orou por mim, e eu ouvi a voz de Deus falar comigo. Com simplicidade e clareza, Deus me admoestou: "Eu a criei para abençoar, não para impressionar".

As lágrimas me saltaram aos olhos quando me dei conta da verdade. O motivo por que eu estava trabalhando em minha longa lista era para abençoar as pessoas. Ao me prender às comparações a outros, perdia de vista esse propósito. Minhas amigas talentosas haviam me inspirado e me ensinado, abençoando-me com seus exemplos. Contudo, quando comecei a me comparar a elas, distorci essa bênção numa espécie de competição que ninguém venceria. As palavras de Deus me lembraram de que minha tarefa era abençoar os outros, e minhas tentativas desajeitadas de impressionar não representariam uma bênção para ninguém, nem mesmo para mim.

Por isso realizei alguns ajustes naquela semana — alguns em minha lista de tarefas, e muitos em minha atitude.

Preocupada em especial por querer montar uma mesa magnífica para meu jantar, eu havia ido à loucura tentando criar um belo centro de mesa. Depois da oração de minha amiga, cortei algumas flores de meu quintal mesmo e as dispus numa tigela de vidro que encontrei no armário da cozinha. Minha mesa estava bonita, meus convidados se sentiram bem-vindos, e minha sanidade foi preservada.

A ideia de que cada aspecto da vida é uma competição é um mito devastador.

Liberada do fardo de querer impressionar as pessoas, fui capaz de abençoá-las e de ser abençoada por elas, o que é, a meu ver, aquilo para que Deus me concebeu. Aquilo para que ele nos concebeu a todos.

Em vez de agir como se houvéssemos sido criados para viver isolados e não em relacionamentos, podemos nos alegrar com o fato de que cada um de nós foi concebido por Deus para trabalhar com outras pessoas, para ser apenas uma única peça de um belo e imenso quebra-cabeças. Não temos a necessidade de nos definir em relação a como nos equiparamos com os outros; podemos nos definir como filhos amados de Deus.

A vida da Trindade — uma vida de amor, comunhão e deleite mútuo — está disponível para nós. Criados pelo Pai, pelo Filho e pelo Espírito Santo, feitos à imagem de Deus, podemos nos alegrar em nossos relacionamentos com ele e entre nós. Redimidos e fortalecidos por Deus, podemos confiar em nossos dons e nossas vocações individuais em vez de clamar pelo que outros possuem. E, certos do amor de Deus e de sua bênção sobre todos nós, viveremos com a segurança crescente de que não há defeitos no projeto de Deus.

PARA REFLEXÃO E DISCUSSÃO

1. Você já passou por uma experiência do tipo "sinto tanto orgulho e inveja de você"? Descreva um exemplo específico em que você admirou outra pessoa e também sentiu inveja dela.

2. Reflita sobre esta declaração: "O fato de que outra pessoa possui um dom ou talento de que não disponho não indica uma deficiência em mim; antes, demonstra a beleza da criação de Deus". Como esse tipo de raciocínio afeta seus pensamentos e ações?

3. Você já sentiu que precisava competir com outros por amor e bênçãos? Escreva sobre quaisquer exemplos específicos que lhe vierem à mente.

4. Descreva um exemplo em que você se sentiu determinado a impressionar outras pessoas. Como os acontecimentos teriam se desenrolado de forma diferente se você tivesse se concentrado em abençoar em vez de impressionar?

108 • O MITO DA PERFEIÇÃO

5. Leia Romanos 12. Ao considerar os vários dons listados nos versículos 6-8, liste algumas pessoas que você conhece que possuem esses dons.

6. Com essa lista diante de você, leia Romanos 12.9-21 mais uma vez. Pense em como você poderia aplicar essas instruções a seus relacionamentos com as pessoas em sua lista.

Agora ore pela bênção de Deus para cada uma das pessoas em sua lista. Para auxiliar com essas preces, leia Números 6.22-27. Às vezes chamadas de "bênção araônica" ou "bênção sacerdotal", essas foram as palavras que Deus dirigiu a Moisés para que Arão e seus descendentes, os sacerdotes de Israel, oferecessem ao povo escolhido de Deus:

> Que o SENHOR o abençoe e o proteja.
> Que o SENHOR olhe para você com favor e lhe mostre bondade.
> Que o SENHOR se agrade de você e lhe dê paz.

Por causa de Jesus, essas palavras agora se aplicam a nós. Fomos adotados pela família de Deus, e podemos agora lhe pedir a bênção. Pratique recitar essa oração por vários indivíduos, começando com sua lista do item 5. Peça a outra pessoa para orar essa bênção por você.

PARTE 3

O CAMINHO

APRENDENDO A ANDAR NA LUZ

7

Fazendo as pazes com o passado

*Seu futuro depende de como você escolhe
se lembrar de seu passado.*

HENRI NOUWEN

Caso esteja procurando um exemplo excelente de uma boa menina que cresceu e se tornou uma mulher virtuosa, talvez você encontre minha mãe. Toda formal e sempre certinha, minha mãe era um modelo do comportamento digno de uma dama. É engraçado, portanto, que uma de minhas primeiras lembranças de minha mãe envolva uma ocasião em que ela fez uma piada bem grosseira de alusão sexual.

Não é invenção minha. Minha mãe era uma linda mulher de cabelos negros, filha de pais de cabelos castanhos. Ela se casou com um homem de cabelos escuros, filho de pais com cabelos castanhos. A primeira filha de minha mãe tinha, assim como o resto da família, cabelos apropriadamente castanhos. Então eu nasci, com a cabeça repleta de inesperadas mechas loiras avermelhadas.

O tom loiro avermelhado escureceu conforme fui crescendo, de forma que, quando cheguei à idade de frequentar a pré-escola, ficou inegável que eu era ruiva: a única ruiva numa família de pessoas de cabelos castanhos. Muitas vezes alguém indagava à minha mãe: "De onde Richella tirou esses cabelos vermelhos?". Imagino que o inquiridor esperasse ser informado da existência de um parente ruivo.

Invariavelmente, minha mãe virtuosa respondia: "Do leiteiro". Todos riam. Só ao me tornar bem mais velha compreendi o caráter malicioso da resposta padrão de minha mãe sobre a cor de meus cabelos.

Nunca me incomodei por ser ruiva, a não ser pelas provocações ocasionais de um colega de classe que comentava algo como: "Prefiro morrer a ter cabelo vermelho!". No entanto, muito me incomodava o fato de ser a esquisita da família, aquela que se mostrava diferente quando comparada aos outros.

E eu sabia que as opiniões de minha mãe sobre meus cabelos eram bem complicadas. Além da tonalidade incomum, meus cabelos eram grossos e um pouco ondulados, apenas o bastante para lhe frustrar as tentativas de me manter alinhada. As fotos em que minha irmã aparecia ao meu lado mostravam uma menina de cabelos castanhos penteados com perfeição junto a uma ruiva desgrenhada; suspeito que meu comportamento combinasse com minha aparência. Com o passar dos anos, minha mãe tentou domar minha cabeleira recorrendo a todos os métodos imagináveis. Por fim, quando completei doze anos, ela decidiu que meus cabelos deveriam ser cortados. "O seu cabelo é denso demais para ser longo", determinou ela, levando-me ao cabeleireiro e pedindo um corte bem curto para mim.

Por dezoito anos, mantive meus cabelos curtos. Ao chegar aos trinta, porém, tive meus próprios filhos: dois meninos, ambos ruivos! Não havia mais dúvida de onde os cabelos vermelhos haviam surgido, mas certo dia compreendi que meu próprio penteado se assemelhava mais ao de meus filhos do que ao de outras mulheres. Decidi me rebelar contra o decreto de minha mãe e deixei meus cabelos crescerem, uma decisão que exigiu muita determinação para ser mantida. Contudo, depois de dois anos de agonia capilar, meu penteado já não lembrava o de meus meninos.

Para ser honesta, naqueles primeiros anos com cabelos compridos, meu penteado não era bom. Minha mãe nunca disse uma palavra contra minha escolha, embora eu suspeite que ela ainda achasse que meus cabelos eram densos demais para serem mantidos longos. Então, certo dia, desesperada para apará-los, arrisquei ir ao salão de um novo cabeleireiro. Frank, que havia acabado de chegar à cidade depois de estudar em Paris, deu uma olhada em meu penteado e sentenciou: "Não, não, não". Em seguida, apanhou a tesoura e realizou sua magia. Soltei uma exclamação de alegria quando ele girou minha cadeira para que eu olhasse no espelho. Frank havia aparado meus longos cabelos ruivos e densos num penteado cheio de classe. Eu mal podia esperar para mostrá-lo à minha mãe.

Entretanto, embora ela tivesse apenas 58 anos, minha mãe vinha lutando contra uma doença séria havia meses. E, naquele dia, justo o dia em que eu havia conseguido a prova de que meus cabelos longos poderiam parecer tão bem quanto eu sempre sonhara, recebi um telefonema de meu pai. Cansada de meses de batalha, minha mãe havia solicitado que os tratamentos que ela vinha recebendo fossem interrompidos. Meu pai e os médicos concordaram, e tudo foi descontinuado com exceção dos analgésicos. Quando cheguei ao quarto dela, ela se encontrava num sono tão profundo por causa da medicação que seus olhos nem chegaram a pestanejar. Permaneci com meu pai por horas ao lado da cama, até que, por fim, dei um pulo rápido na cafeteria do hospital para buscar alguns sanduíches. Enquanto eu estava fora do quarto, as pálpebras de minha mãe se abriram por apenas um momento. Então ela se foi.

É óbvio que o estado de meus cabelos era a última coisa com a qual me importei naqueles dias de luto assolador. No entanto, nos anos que se seguiram, desejei inúmeras vezes ter tido só mais uma conversa com minha mãe, uma última oportunidade de obter sua aprovação, uma última chance de deixá-la orgulhosa da filha ruiva.

Olhando para trás

"Em retrospecto, todos têm visão perfeita." Às vezes atribuído ao cineasta Billy Wilder, trata-se de um ditado memorável. Contudo, ver o passado com visão perfeita não é algo possível, nem mesmo em retrospecto. Cada um de nós enxerga apenas a partir de nosso próprio ponto de vista, que obscurece ou distorce os acontecimentos do passado, levando a mal-entendidos que persistem e, às vezes, pioram com o passar do tempo. Até sem mal-entendidos, o passado de todos é complexo. Uma questão tão pequena como a cor e o comprimento de meus cabelos gerou grandes repercussões em minha vida. Nossa vida é composta de centenas de questões que, na aparência, são ínfimas. Visão perfeita? É provável que não.

No entanto, um exame do passado é uma parte necessária para que possamos aprender e crescer. Em minha jornada para escapar da armadilha das comparações implacáveis com outros, descobri que é essencial olhar para trás, avaliando os acontecimentos do passado e processando os sentimentos sobre eles. O hábito de tecer comparações constantes não surge do nada; está enraizado em eventos e experiências que nos levaram a sentir insegurança e a nos comparar a outros. Se

FAZENDO AS PAZES COM O PASSADO · 115

não processarmos nossas lembranças, elas nos manterão aprisionados em muitos padrões de que gostaríamos de escapar. A habilidade de lembrar é uma dádiva concedida por Deus com a intenção de nos abençoar a vida. Ao ler as Escrituras, espanto-me com quantas vezes Deus instou seu povo para que se lembrasse.[1] Deus ordenou repetidas vezes que o povo de Israel se recordasse de tudo o que ele havia feito. Davi cantou: "Todo o meu ser louve o SENHOR; que eu jamais me esqueça de suas bênçãos" (Sl 103.2). Quando Jesus compartilhou a última ceia com seus discípulos mais próximos, ele os exortou: "Façam isto em memória de mim" (Lc 22.19). Abençoados com o dom da memória de eventos recentes e longínquos, somos chamados a recordar.

Contudo, nossa habilidade de recordar também é uma fonte de problemas ou de angústia, pois nossa mente retém o mal assim como o bem. Nós nos agarramos a lembranças perturbadoras, reprisando acontecimentos e conversas. Diversos níveis de sofrimento nos brotam à mente com facilidade assustadora. Rememoramos os ferimentos, as mágoas que sofremos, os momentos em que nos sentimos insultados. E é fácil — às vezes nada mais é tão fácil — nos recordarmos de nossos próprios pecados e erros, da dor que infligimos a outros. De fato, como explica Trevor Hudson em seu livro *Hope Beyond Your Tears* [Esperança para além das lágrimas], cada um de nós "se senta ao lado de sua própria poça de lágrimas".[2]

Já ouvi dizer que sentimentos enterrados vivos nunca morrem. É verdade, não é? Muitas de nossas histórias não incluem finais felizes, nem mesmo resoluções bem acertadas. No entanto, enterrar nossos sentimentos acerca do passado é permanecer à mercê desses sentimentos. Se quisermos progredir na superação das comparações, precisaremos nos permitir vivenciar as emoções que são despertadas quando ponderamos o passado.

Ponderar e remoer o passado são atos bem diferentes. Às vezes, voltamos a sofrer ao relembrar feridas reais ou imaginadas, nos repreendemos ao recordar pecados ou erros antigos, ou nos perdemos em meio a reminiscências sobre "os bons e velhos tempos". Por isso, não nos atrevemos a nos aventurar pelo processo de lidar com o passado sem tomar consciência dos perigos em potencial. Caso ele tenha a oportunidade, o inimigo de nossa alma adorará utilizar nossa prática de recordação como uma nova chance para repetir as mentiras de que não somos amados ou dignos de amor, promulgando assim os pensamentos e sentimentos de insegurança que favorecem as comparações.

Se você for como eu, algumas de suas lembranças envolvem eventos muito complicados, e você talvez precise da ajuda de um profissional para mergulhar nelas. Não deveria haver nenhuma vergonha em buscar ajuda profissional, mas eu decerto me senti envergonhada antes de criar a coragem para falar com um terapeuta. Imagino que muitos cristãos sintam que, se sua fé fosse mais forte, não precisariam da ajuda de um profissional; é assim que me senti por muito tempo. Mesmo nesse ponto talvez nos flagremos comparando nossa situação com a de outras pessoas.

Por anos eu me convenci de ideias como "Se eu tivesse sido vítima de abuso como ela foi, ou sofrido uma horrível tragédia como aconteceu com ele, eu buscaria ajuda". Isso foi um erro. Agora entendo que os serviços de um profissional meticuloso podem nos ajudar a processar sentimentos complexos, identificar e corrigir padrões problemáticos de pensamentos, e até mesmo nos curar após traumas sofridos. Na realidade, quando o trauma é parte de nosso histórico, o

FAZENDO AS PAZES COM O PASSADO • 117

auxílio de tratamento profissional talvez seja absolutamente necessário. Um pastor ou ministro capaz de recomendar um terapeuta ou conselheiro talvez seja um bom lugar para começar a procurar esse tipo de ajuda.

Com ou sem o auxílio de um profissional, devemos permanecer alerta ao exercer a visão retrospectiva, trajando "a armadura de Deus" descrita em Efésios 6: um compromisso com a verdade, o desejo de justiça, a aspiração pela paz, uma conexão firme com a fé e a garantia da dádiva divina da salvação. Repleta de metáforas sobre a preparação para batalha, essa passagem nos lembra de que devemos empunhar a "espada do Espírito", que é a Palavra de Deus. Esse é um lembrete bastante necessário de que a verdade encontrada nas Escrituras é uma arma poderosa contra as mentiras do inimigo. Todos precisamos nos armar de modo constante com a verdade sobre Deus, sobre nós mesmos e sobre os outros à medida que buscamos escapar da armadilha das comparações.

Essa passagem criativa termina com uma diretriz extremamente poderosa: "Orem no Espírito em todos os momentos e ocasiões. Permaneçam atentos e sejam persistentes em suas orações por todo o povo santo" (Ef 6.18). Ao examinar os acontecimentos do passado, nunca devemos nos esquecer de orar para que Deus nos proteja e nos guie, confiantes em seu amor e poder.

Uma prática fundamental para mim tem sido estudar com cuidado meu próprio passado com a meta específica de manter em mente a verdade do amor e da presença de Deus. Descobri que é fácil afirmar essas verdades sobre Deus *em geral*, mas bem mais difícil me convencer dessas verdades quando elas se aplicam *a mim de maneira específica*. Os anos em que me comparei a outros me treinaram para me concentrar nos arrependimentos e nos erros, nas mágoas que sofri e causei, e em todas

118 • O MITO DA PERFEIÇÃO

as formas com que senti não estar à altura dos outros. Uma de minhas maiores necessidades tem sido, portanto, o processo de desenvolver o que Trevor Hudson chama de "memória redentora", isto é, recordar o passado ao mesmo tempo que procuro de forma deliberada pelo trabalho de Deus em minha vida.

Desenvolver uma memória redentora exige recordar não apenas a dor do passado, mas também a alegria, enxergando tanto os problemas quanto as soluções, buscando localizar as maneiras como Deus proveu até mesmo em meio a situações difíceis. Uma memória redentora me permite encarar os fatos do passado assim como meus próprios sentimentos. Tento compreender a verdade de que Deus sempre me amou e sempre me amará. Uma amiga minha sugeriu que deveríamos sempre procurar "evidências da graça", e descobri que isso é incrivelmente útil para que eu me lembre de meu passado com a meta específica de reconhecer a ajuda de Deus. Agora que já tenho alguma prática olhando para trás dessa maneira, tornei-me cada vez melhor para localizar padrões de provisão.

Aprendendo a ser grato

Se você é fã de velhos filmes natalinos como eu, é provável que tenha assistido *Natal Branco*. Talvez se lembre da cena em que Bing Crosby oferece a Rosemary Clooney um lanche noturno e a manda para cama com uma cantiga de ninar sobre contar bênçãos em vez de ovelhas.[3] Indicada ao Oscar de Melhor Canção Original em 1955, "Count Your Blessings" [Conte suas bênçãos] foi composta por Irving Berlin depois que seu médico lhe sugeriu que contasse suas bênçãos como uma cura para a insônia.

A canção se popularizou graças ao filme e a gravações de diversos artistas, mas o conselho de contar as próprias bênçãos é mais do que psicologia popular. Um velho hino exorta: "Conta

FAZENDO AS PAZES COM O PASSADO • 119

as bênçãos, conta quantas são, recebidas da divina mão; uma a uma, dize-as de uma vez, hás de ver surpreso quanto Deus já fez".[4] Sempre amei esse hino, mas por muito tempo não compreendi a importância de enumerar as bênçãos que me foram concedidas. Quando eu me comparava com outros, eu enxergava as bênçãos *deles* e não reconhecia as minhas. Em vez da alegria da gratidão, sentia um descontentamento que, às vezes, levava à inveja e ao ressentimento. Ao me concentrar nas bênçãos dos outros, eu tendia a esquecer o que o Senhor havia feito por mim.

As Escrituras exortam o povo de Deus o tempo todo a demonstrar sua gratidão. Os salmos expressam essa ideia repetidas vezes: "Deem graças ao SENHOR porque ele é bom; seu amor dura para sempre", lemos nos salmos 106, 107, 118 e 136.

A gratidão por tudo que o Senhor realizou deveria ser a atitude de qualquer seguidor de Cristo. Sabemos disso, não é mesmo? Queremos que nosso coração se encha de gratidão, mas desenvolver essa atitude exige algum esforço. A prática intencional de contar as bênçãos — anotá-las numa lista numerada — é um bom jeito de começar. Ann Voskamp escreve em *Vida simples, vida plena*:

> Eu dizia com expressão sincera: "Sou grata por todas as coisas". Mas, nesse contar de dádivas [...], descobri que uma pincelada rápida e descuidada de ação de graças por tudo em minha vida me deixa grata de verdade por pouquíssimas coisas. [...] a gratidão que transforma a vida não se prende a uma vida a menos que seja fixada com um prego específico por vez.[5]

Por sugestão de um amigo, Voskamp começou um diário de gratidão, listando as bênçãos que percebia em seu dia a dia, "não das dádivas que desejo, mas das que já tenho", ela escreve.[6]

A prática de considerar meu passado para então anotar, uma a uma, as bênçãos específicas em minha vida de acordo com meus melhores esforços de memória representou para mim um gigantesco passo à frente. Levou bastante tempo, mas recordar e compor uma lista das dádivas que Deus me concedeu — não todas que eu havia desejado, mas aquelas que recebi — me ajudou a ver que minha vida era mais rica em bênçãos do que eu havia percebido.

Mesmo quando me sentia como o patinho feio da família, mesmo quando era alvo de zombaria por causa do sinal de nascença, mesmo quando enfrentei o sofrimento como quando minha mãe faleceu, eu ainda era o receptáculo de muitas dádivas positivas. Muitas dessas dádivas eu não fui capaz de reconhecer na época em que as recebi; apenas em retrospecto consegui enxergá-las. Aliás, examinar o passado para contar minhas bênçãos me revelou que algumas dádivas chegaram a mim por causa das dificuldades e tristezas que vivenciei durante os anos, e não a despeito delas. Reconhecer essas bênçãos, anotá-las e dar graças por elas me ofereceu uma nova maneira de olhar para o mundo — uma perspectiva muito necessária da gratidão.

Depois de listar mais de mil dádivas, Voskamp compreendeu que é possível "contar bênçãos e descobrir com Quem se pode contar".[7] Esse é o propósito de contar as bênçãos e dar graças por elas: descobrir a fidelidade de Deus é algo crucial. Se permanecermos focados nas bênçãos, podemos recair com facilidade nas comparações mais uma vez. Talvez vejamos as dádivas que Deus concedeu a outros e desejemos ter recebido o mesmo. Ou talvez consideremos que recebemos mais do que os outros e nos sintamos culpados em vez de agradecidos.

A ideia por trás de contar as bênçãos é entender que cada coisa boa é uma dádiva oferecida por um Deus que nos ama,

FAZENDO AS PAZES COM O PASSADO • 121

para que nossa visão se eleve das dádivas em si para o Doador generoso. Tiago nos lembra de que "toda dádiva que é boa e perfeita vem do alto, do Pai que criou as luzes no céu. Nele não há variação nem sombra de mudança" (Tg 1.17). Apenas nos concentrando em Deus, e não nas bênçãos, conseguiremos fugir da armadilha das comparações.

A importância da confissão

A ideia de viajar pela estrada da memória para contar suas bênçãos talvez lhe soe como uma boa diversão, mas é provável que uma avaliação honesta do passado também desenterre algumas lembranças difíceis. Algumas dessas recordações serão de erros e pecados que você cometeu. Por isso, para fazer as pazes com o passado, a confissão é um componente fundamental.

A confissão é algo que eu costumava fazer sozinha. Embora tenha confessado em público que "Creio que Jesus Cristo é o Filho de Deus" quando fui batizada, e tenha em algumas ocasiões confessado a outra pessoa um pecado que cometi contra ela, nas demais circunstâncias eu considerava a confissão uma questão puramente pessoal. Sim, eu confessava meus pecados a Deus; tinha plena consciência de como era pecadora, e queria muito ser perdoada. Orava com frequência, listando meus pecados e suplicando perdão. Recitava 1João 1.9 para mim mesma várias vezes: "Se confessamos nossos pecados, ele é fiel e justo para perdoar nossos pecados e nos purificar de toda injustiça". E tentei — sem muito sucesso — acreditar nisso.

Entretanto, eu não entendia que a confissão não é apenas um mandamento, nem apenas um dos "passos para a salvação", e sim um recurso da graça de Deus. A palavra *confessar*, que significa assentir ou concordar, é a tradução da palavra composta grega *homologeō* (*homos*, "o mesmo", e *logos*, "palavra").

122 • O MITO DA PERFEIÇÃO

Quando praticamos a confissão, utilizamos as palavras para concordar com as palavras de Deus. Deus sempre fala a verdade, por isso, na confissão, devemos sempre dizer a verdade. E dizemos a verdade não apenas a Deus, mas também entre nós. Hebreus 4.14 nos ensina que Cristo é nosso "grande Sumo Sacerdote" para sempre, o que significa que, por meio de Jesus, nós nos aproximamos de Deus, confessamos nossos pecados e pedimos perdão. Porém, a confissão não é apenas algo que fazemos sozinhos; é algo que realizamos juntos. Desse modo, a confissão é uma prática poderosa: ao mesmo tempo *falamos* e *ouvimos* as palavras da verdade.

Cada um de nós já pecou, por isso uma confissão autêntica precisa incluir uma admissão de nossos pecados. Algumas mensagens de autoajuda talvez nos incentivem a crer que deveríamos pensar em nós mesmos como sendo perfeitos do jeito que somos, mas isso simplesmente não é verdade. "Se afirmamos que não temos pecados, enganamos a nós mesmos e não vivemos na verdade" (1Jo 1.8). É importante entendermos que Deus nos ama e nos aceita como somos; de fato, "Deus nos prova seu grande amor ao enviar Cristo para morrer por nós quando ainda éramos pecadores" (Rm 5.8).

Deus conhece a verdade sobre nós, inclusive os pecados que cometemos. A prática da confissão consiste em abrir o jogo, alinhar-se com Deus, encarar os pecados cometidos, admitindo para si e para um ouvinte confiável o que Deus já sabe. Ao brotar de uma tristeza real por causa do pecado e de um desejo de corrigir a situação, a confissão é poderosa: listamos nossos pecados, articulando em voz alta as formas específicas como fizemos o que não deveríamos ter feito e deixamos de fazer o que deveríamos ter feito. Aquele que ouve nossa confissão é então capaz de nos responder com a verdade do perdão de Deus.

Por muito tempo ocultei alguns de meus pecados de todos exceto de Deus, com medo do que as pessoas pensariam de mim se soubessem a verdade. Com uma consciência profunda de minha iniquidade e de minhas deficiências, sentia que era justo que eu carregasse uma carga de culpa e vergonha. Afinal, segundo meu raciocínio, se Deus iria me resgatar das chamas do inferno, decerto eu deveria sofrer com a lembrança de meus pecados.

No entanto, o fardo não me ajudava a me aproximar de Deus; apenas me impedia de amá-lo e servi-lo com o coração leve. Eu me sentia cheia de vergonha — envergonhada por haver pecado para início de conversa, e envergonhada por não conseguir confiar que Deus me perdoaria.

Por fim, juntei coragem suficiente para confessar um de meus pecados secretos a uma amiga, uma crente madura na qual eu havia passado a confiar. Quando ela não demonstrou nenhum desgosto, confessei outro. Logo uma torrente me escapou enquanto eu aliviava o peito, confessando todos os meus pecados secretos. Extenuada pelo pesar e pela angústia, aguardei a reação dela. Nunca me esquecerei de como me senti quando ela propôs: "Vamos levar isso juntas para a cruz e deixar tudo com Jesus". Ela orou comigo; em seguida, assegurou-me que Deus havia me perdoado por completo. Que alívio!

E a prática da confissão inclui mais do que apenas a admissão do pecado. Já que estamos concordando com Deus sobre a verdade, também confessamos coisas boas que sabemos serem verdadeiras. Confessamos que Deus é o criador e regente de todas as coisas. Confessamos que Jesus, o Filho de Deus, nasceu de uma virgem, viveu como homem, morreu por nós, foi erguido dos mortos e vive para sempre com Deus. Confessamos que o Espírito Santo nos guia e direciona. Confessamos nossa dependência de Deus e nossa confiança nele. Algumas igrejas realizam isso de forma rotineira ao recitar o Credo dos Apóstolos ou o Credo Niceno. Na confissão, tanto *falamos* como *ouvimos* a verdade.

Porém, algumas verdades são difíceis de compreender. Ao analisar continuamente as pessoas que nos cercam, notando todas as suas forças, era óbvio para mim que *elas* eram abençoadas e amadas; entender que o mesmo se aplicava a mim não foi nada fácil. Para mim, portanto, foi bastante útil confessar não apenas a verdade de como eu era pecadora, mas também a verdade de como eu era amada. Não me refiro a fazer declarações como "Sou perfeita em todos os aspectos". Essa é uma afirmação falsa, e uma vez que confessar é concordar com Deus, a confissão precisa ser uma declaração da *verdade*. Por exemplo, esta máxima de Henri Nouwen talvez seja uma confissão útil:

Não sou o que faço,
Não sou o que tenho,
Não sou o que os outros pensam de mim.
Sou o filho amado de um criador amoroso.[8]

Ou esta frase de James Bryan Smith: "Sou alguém em quem Cristo habita e se deleita".[9]

Não há dúvida: descobri que esse tipo de confissão é bem mais difícil de realizar do que a confissão dos pecados. Os anos me comparando de maneira implacável com outros haviam me treinado para me ver como indigna e inapta para ser amada. Eu teria lhe garantido com prazer que *você* é amado por Deus, mas eu tinha dificuldades para acreditar que isso também se aplicava a mim.

A ideia de dizer em voz alta "Sou alguém em quem Cristo habita e se deleita" me soava ridícula. No entanto, uma

FAZENDO AS PAZES COM O PASSADO • 125

professora sábia exigiu que eu enunciasse essas palavras, por mais que me sentisse constrangida. Obedeci, embora não acreditasse de fato no que estava dizendo; aliás, o ato de articular as palavras me parecia desonesto, até um tanto blasfemo. Depois, ela me fez repetir as palavras, desafiando-me a crer no que eu dizia. Ela estava certa: eu precisava não apenas ouvir a verdade do amor de Deus por mim, mas também expressá--la com os próprios lábios. Assim como a confissão sincera do pecado necessita da resposta da absolvição, a confissão da verdade de ser amada por Deus requer a resposta da afirmação, por isso minha professora afirmou que minha confissão era, na realidade, uma declaração da verdade.

Ao confessarmos uns aos outros, damos um passo importante para ingressar no tipo de comunidade misericordiosa que Deus deseja que vivenciemos. O isolamento das comparações é rompido quando falamos "a verdade em amor" (Ef 4.15) uns para os outros, crescendo juntos no tipo de amor generoso que a Trindade modelou para nós.

Quando a cura é necessária

Ao iniciar o processo de abordar honestamente o passado, você talvez descubra certos acontecimentos que não consegue esquecer. Se você for como eu, algumas lembranças insistirão em atrapalhar seu progresso, não importa o quanto tente se persuadir a superar o que houve e seguir em frente. Nesse caso, uma cura profunda é necessária, e essa cura está disponível em Deus.

Uma forma específica de oração de cura tem sido bastante útil para que eu supere a tendência de me comparar a outros. Chamada às vezes de "cura das lembranças", essa oração envolve a fé profunda de que Deus tem a capacidade e disposição de curar a dor de nosso passado.

126 • O MITO DA PERFEIÇÃO

Em *Oração: O refúgio da alma,* Richard Foster conta a história de um homem que sofria de depressão profunda depois de passar por uma angustiante experiência de guerra que lhe encheu o coração de culpa e raiva. "Você não sabe que Jesus Cristo [...] consegue penetrar essa velha lembrança dolorosa e curá-la para que ela não o controle mais?", Richard indagou ao homem. Em seguida, orou: "Por favor, Senhor, extrai o sofrimento e o ódio e a tristeza, e liberta-o." O homem foi curado.[10]

As lembranças não precisam envolver traumas profundos para que sejam problemáticas. Isso é decerto verdade no que me diz respeito. Embora alguns dos acontecimentos de minha vida tenham sido bem dramáticos, muitas de minhas lembranças, como as que se referem a meus cabelos, não parecem dignas de nota. Contudo, elas me voltam à mente com frequência, reforçando dúvidas com que me digladiei por anos. Aquilo que, na superfície, aparentava ser uma simples insegurança sobre meus cabelos era, na realidade, um medo mais profundo de não ter o mesmo valor que meus irmãos ou de não me encaixar em minha própria família — um temor que me levou a me comparar a outras pessoas, na esperança de que eu me revelasse boa o suficiente para ser aceita e digna de ser amada.

Algumas amigas generosas que acreditam com fervor no poder da oração me deram a oportunidade de desabafar sobre minhas memórias dolorosas. Elas se sentaram com paciência e devoção, deixando que eu lhes descrevesse meus sentimentos verdadeiros ao reviver episódios específicos que se repetiam diversas vezes em minha mente. Não questionaram se meu relato dos acontecimentos era preciso em cada detalhe; sabiam que eu estava narrando os eventos como os entendia. Pediram a Deus que me mostrasse que ele havia estado presente comigo em todas essas ocasiões, que ele me via e se importava comigo, que me amava hoje e que sempre havia me amado. Depois, pediram a Deus que curasse minhas emoções. Por meio dessa intercessão leal, velhas mágoas que me assombravam os pensamentos foram curadas.

Os acontecimentos do passado não se alteraram. Deus não recua no tempo para mudar o curso da história. No entanto, as memórias não são eventos do passado; são realidades presentes. À medida que minhas amigas oravam pela cura, minha perspectiva dos eventos passados e minha habilidade para lidar com eles foram alteradas. Fui capaz de compreender que Deus esteve sempre comigo, que Deus está comigo agora, e que Deus quer que eu me sinta bem e completa. A cura que experimentei como resultado dessas orações é permanente, o que me permitiu entender que a bondade de Deus para comigo é irrestrita, seu amor por mim inabalável, sua obra em minha vida interminável.

A verdade é que a maioria de nós carrega consigo uma história pessoal complicada. Nossa vida nem sempre foi como esperávamos ou sonhávamos. Muitos de nós enfrentamos sofrimentos maiores ou menores. Você talvez tenha sofrido de formas tão angustiantes a ponto de precisar de cura em larga escala. Para todos nós, aceitar nossa história pessoal, fazer as pazes com o passado, é um passo importante para progredir na tarefa de nos livrarmos das comparações. Essa liberdade é descrita de maneira excelente pelas palavras de Peter Scazzero: "A verdadeira liberdade surge quando não necessitamos mais ser alguém especial aos olhos dos outros, pois sabemos que somos dignos de amor e bons o bastante".[11]

Se conseguirmos examinar o passado a partir de um lugar de confiança em Deus e no amor dele por nós, nossas lembranças — antes uma fonte de insegurança contínua — se tornam uma fonte de esperança. Como escreve Trevor Hudson: "Cristo, o crucificado que entende nosso sofrimento e dele compartilha, vive além da crucificação. Sua presença viva opera de maneira constante em cada lembrança dolorosa do passado, buscando o tempo todo gerar outra pequena Páscoa".[12]

Você tem que atravessar

Algumas das lembranças mais felizes de minha infância são do acampamento de verão que comecei a frequentar aos nove anos de idade. Eu gostava tanto do acampamento que participei todos os anos, e depois trabalhei lá como conselheira nos verões de meus anos de faculdade. Em todas essas ocasiões, aprendi inúmeros jogos e canções e me diverti ao cantá-las com tantas outras crianças. Uma de minhas canções favoritas se chamava "Caça ao Urso". Todos fingíamos que estávamos caçando ursos e, ao deparar com um obstáculo após o outro no caminho, cantávamos:

> Não pode passar por cima;
> Por baixo também não dá;
> Não pode dar a volta;
> Você tem que atravessar.

Apenas "atravessando" todos os obstáculos o caçador conseguia enfim capturar o urso.

Creio que é assim que lidamos com o passado. A história pessoal de todos nós contém doses de dificuldades e tristeza. Algumas histórias são repletas de dor agonizante. Talvez pareça que confrontar as questões do passado serviria apenas para desenterrar sentimentos que seria melhor deixarmos em paz.

Entretanto, como explica Trevor Hudson: "A dor precisa ser processada para que se torne uma experiência positiva e construtiva".[13] Se não for examinado, nosso passado pode vir a governar nosso presente e até mesmo nosso futuro. Por isso, mesmo que seja difícil, levar o passado em conta é essencial para que sigamos em frente.

Ver o passado pela ótica do entendimento de que somos os filhos amados de Deus, criados para manter um relacionamento com Deus e com outras pessoas, muda nossa perspectiva e nossa percepção.

Aprendemos a celebrar nossas bênçãos. Recebemos o perdão por nossos pecados, perdoamos os que pecaram contra nós, e começamos a curar nossas feridas. Saber que Deus redime até as circunstâncias mais difíceis nos mune de coragem para seguir em frente. Ao nos lembrarmos da fidelidade de Deus durante nossa vida inteira, ganhamos confiança em sua fidelidade contínua.

PARA REFLEXÃO E DISCUSSÃO

1. Relembre algum acontecimento de seu passado. Como você descreveria seus sentimentos sobre esse acontecimento?

- tristeza
- raiva
- vergonha
- arrependimento
- amargura
- ressentimento

- felicidade
- orgulho
- gratidão
- todos os anteriores
- nenhum dos anteriores; em vez disso _____

_____

2. Existe alguma lembrança em especial que lhe ocorre com frequência, causando sofrimento? Em caso afirmativo, você

130 • O MITO DA PERFEIÇÃO

conhece alguém que poderia ajudá-lo a atravessar essa lembrança com segurança, pedindo a Deus que cure sua dor?

3. Você alguma vez confessou seus pecados a um ouvinte de confiança (não apenas um pecado específico à pessoa contra a qual pecou)? Se nunca o fez, a ideia de confissão é assustadora para você? Por que você imagina que a confissão verdadeira assusta tantas pessoas? Conhece alguém que escutaria sua confissão de maneira segura e que o ajudaria a confiar esses pecados a Jesus?

4. Você já disse em voz alta que é amado por Deus? Pratique enunciar estas palavras de James Bryan Smith: "Sou alguém em quem Cristo habita e se deleita". Escreva isso. Em seguida, diga-o em voz alta para outra pessoa, e permita que essa pessoa afirme esse fato para você.

5. Ao pensar em seu passado, liste dez coisas específicas pelas quais sente gratidão.

6. Tome o primeiro item dessa lista e pense sobre alguém que você conhece que vive numa situação melhor que a sua. Por exemplo, se você cresceu numa boa casa, pense em alguém que viveu numa casa mais grandiosa. Você percebe como pensar nas bênçãos de outra pessoa afeta a maneira como você pensa sobre sua própria bênção? Agora, reexamine sua lista, agradecendo a Deus especificamente por todos esses itens, um a um.

8

Mudando de opinião dia após dia

O modo como passamos nossos dias é,
sem dúvida, como passamos nossa vida.

ANNIE DILLARD

Alguns anos atrás, eu estava convencida de que meu marido e eu precisávamos de um colchão novo. Todas as manhãs, eu acordava com dores na parte inferior das costas. Como nosso colchão tinha já muitos anos de idade, pesquisamos um pouco e investimos num colchão de espuma viscoelástica. Tudo pareceu bem por algum tempo, mas logo comecei a acordar com dores nas costas outra vez. Vendi o colchão de espuma viscoelástica e investi num modelo diferente, na esperança de que minha dor nas costas finalmente cessaria. Mais uma vez, o novo colchão forneceu alívio por algum tempo, mas depois as dores matinais retornaram.

Por fim, mencionei as dores nas costas a meu médico, que pediu um exame de raios-X de minha coluna vertebral. Por causa de minha síndrome de Klippel-Trénaunay, sempre soube que metade de meu corpo é maior do que a outra, mas nunca levei em consideração os efeitos de longo prazo que isso acarretaria em minha coluna. Meu médico entendeu melhor a situação, por isso pediu o exame de raios-X. As radiografias confirmaram as suspeitas: os anos compensando por minha falta de equilíbrio resultaram numa degeneração significativa

132 • O MITO DA PERFEIÇÃO

de vários discos entre minhas vértebras. A verdade que os exames revelaram, então, foi que minha doença, não o colchão, era responsável por minha dor nas costas.

Incerta de como proceder à luz desse novo diagnóstico, consultei três médicos especialistas diferentes, e todos concordaram em suas instruções para mim. Em primeiro lugar, todos os três me aconselharam a usar salto num dos pés de sapato para diminuir a discrepância entre o comprimento das duas pernas. Essa parte das instruções eu poderia seguir com poucas reclamações, embora agora seria impossível para mim calçar certos tipos de sapato. No entanto, eu entendia que as desvantagens de usar um salto em meus sapatos eram pequenas em relação ao benefício de não aplicar pressão adicional sobre a coluna.

Meus médicos também me passaram outra instrução. Todos os três me alertaram que eu deveria iniciar de imediato um treinamento sério da musculatura do tronco. Confesso: quando o terceiro especialista, um cirurgião ortopédico altamente recomendado, repetiu o mesmo conselho oferecido pelos dois primeiros, revirei os olhos. "É sério?", perguntei. "Treinamento do tronco é a resposta para tudo?"

Minha esperança havia sido de que esse médico soubesse de algum tratamento especial que oferecesse benefícios imediatos, mas não. Ele reiterou o que os primeiros dois médicos haviam explicado: eu precisaria de músculos fortes para sustentar minha coluna enfraquecida, e o treinamento do tronco era a única forma de obtê-los.

Seguir o conselho dos médicos não tem sido fácil; exige que eu faça algo que talvez nunca houvesse escolhido fazer: um programa de exercícios regulares de fortalecimento do tronco. Sim, eu sabia em teoria que esse tipo de exercícios fazia bem para as pessoas, mas nunca quis praticá-los. Contudo, com aquelas radiografias servindo como lembrete, eu sabia que precisava realizar algumas mudanças. Por mais que desejasse uma solução rápida para meu problema, não havia nenhuma disponível. Por isso comecei, enfim, o treinamento necessário.

Passei a acreditar que, assim como não há uma solução rápida para minha dor nas costas, não há cura instantânea para um problema como a tendência de nos compararmos a outros. Nenhum dos conselhos sucintos que li no decorrer de todos esses anos me ajudou a progredir, e não é de admirar: nenhuma abordagem de "três passos para o sucesso" vai funcionar para a superação de uma atitude e um hábito tão fortes como esses.

Charles Duhigg, jornalista vencedor do Prêmio Pulitzer, oferece uma análise profunda dos hábitos em seu sucesso de vendas *O poder do hábito*. Ao estudar pesquisas neurológicas recentes, Duhigg descobriu que os hábitos se encontram entranhados no cérebro de forma que não podemos erradicá-los, mas podemos alterá-los.

A mudança de hábitos ocorre, explica Duhigg, a partir da interrupção do que ele chama de "ciclo habitual" de gatilho (o estopim do hábito), rotina (o comportamento habitual), e recompensa. Ele afirma que o processo de alterar os hábitos não é rápido ou fácil, mas é possível.[1] As descobertas de Duhigg apoiam o que Tomás de Kempis, autor de *Imitação de Cristo*, ensinou ainda no século 15: "Supera-se um hábito com outro hábito".[2]

Motivado pela insegurança, o hábito de comparações constantes gera ainda mais insegurança, um ciclo que se repete sem parar. A fim de superar as comparações, portanto, devemos fazer duas coisas: lidar com a insegurança subjacente e estabelecer novos hábitos para superar o hábito da

134 • O MITO DA PERFEIÇÃO

comparação. Então como seria um dia projetado para mudar o hábito de tecer comparações?

Organizando o dia

Para muitos de nós, o dia começa quando o despertador do celular nos acorda, e nossa primeira ação da manhã é, ainda na cama, dar uma olhada sonolenta na tela do celular.

Pare.

Volte. Em primeiro lugar, utilizar um celular como despertador talvez pareça uma boa ideia, em especial se gostamos de ter o telefone ao lado da cama em caso de emergência. No entanto, é melhor colocar o celular num quarto adjacente, acessível, mas não bem à mão, e manter um relógio despertador barato junto à cama. Os *smartphones* nos fornecem acesso rápido às redes sociais, locais excelentes para encontrarmos a tentação de nos compararmos a outros. Não faz sentido começar o dia desse jeito.

Na realidade, eu diria que precisamos recuar ainda mais, até as horas que antecedem o toque do despertador — o tempo que passamos dormindo.[3] Muitos de nós simplesmente não dormem por tempo suficiente. "O inimigo número um da formação espiritual cristã hoje em dia é a exaustão", escreve James Bryan Smith em seu livro *O maravilhoso e bom Deus*.[4] É uma declaração ousada, mas passei a acreditar que seja correta.

Por milhares de anos, os seres humanos seguiram o padrão de trabalho e descanso estabelecido na natureza por meio das horas de luz do sol e escuridão. Sem a luz sob a qual trabalhar, a escuridão oferecia o tempo de descanso. Então as pessoas inventaram métodos de produzir luz para enxergar na escuridão. À medida que esses métodos de gerar luz se tornaram mais confiáveis, o ritmo natural do ciclo de trabalho e descanso erodiu.

Na maioria dos lugares, há iluminação disponível 24 horas por dia, sete dias por semana; na verdade, hoje é difícil encontrar a escuridão em alguns locais. Entretanto, a maneira como o corpo humano funciona não mudou muito com o passar dos anos. Com tantas oportunidades de trabalho e diversão tarde da noite, o tempo alocado para o sono encolheu, mas a necessidade do sono não. Por isso, devemos tomar a decisão deliberada de descansar, ou correr o risco de sermos forçados a descansar quando nos vemos exaustos ao ponto da aflição física, mental ou emocional.

A necessidade de descansar é intensa sobretudo para aqueles de nós que se debatem com as comparações com outros, sempre tentando alcançá-los ou superá-los. Talvez tentemos nos convencer de que precisamos nos tornar melhores na realização de múltiplas tarefas simultâneas, trabalhando mais rápido ou com maior eficiência, mas nossa necessidade real é desenvolver a confiança em Deus. O descanso intencional é uma maneira de desenvolver essa confiança.

Um bom lugar para começar é seguir um horário regular para ir para cama, deixando todos os dispositivos eletrônicos em outro aposento. Deitar-se para dormir em um horário determinado, mesmo quando ainda resta trabalho a fazer, é um ato de fé, mais bem acompanhado por uma oração de reconhecimento de que estamos nos confiando aos cuidados de Deus.

Um aviso: outras pessoas talvez questionem você quando começar a levar o descanso a sério, em particular se você sempre lidou com suas inseguranças trabalhando para provar seu valor a si mesmo e para agradar aos outros. Você estará em boa companhia nesse ponto. Marcos 4 relata a história de

136 • O MITO DA PERFEIÇÃO

uma noite em que Jesus e seus discípulos mais próximos atravessaram o mar da Galileia de barco. Cansado do trabalho, Jesus adormeceu. Quando uma forte tempestade se levantou, os amigos de Jesus entraram em pânico. Assustados, questionaram não apenas a habilidade de Jesus de dormir, mas também sua motivação. "Mestre, vamos morrer! O senhor não se importa?", indagaram eles (Mc 4.38). Os discípulos não reconheceram o sono de Jesus como um sinal de confiança absoluta no Pai. Jesus compreende o poder de Deus sobre tudo o que há, inclusive a própria natureza. Suas palavras ao vento e às ondas servem como advertência a cada um de seus discípulos: "Silêncio! Aquiete-se!".

Gosto de repetir essas palavras de Jesus como um modo de recordar a bondade e o poder de Deus. Elas me lembram de que estou sã e salva sob o cuidado amoroso de Deus, onde um ciclo virtuoso de descanso e confiança substitui o ciclo vicioso da comparação e exaustão.

Começando

Após uma boa noite de sono, e depois que meu despertador barato me despertou de meu repouso, ainda não estou muito pronta para encarar o dia. Assim como adormeci rememorando as palavras de Jesus, acordo com elas também. Pela maior parte de minha vida fui capaz de recitar o Pai Nosso, mas apenas quando comecei realmente a orar essas palavras como uma petição genuína a Deus eu passei a progredir um pouco na batalha contra as comparações constantes.

Quando os discípulos de Jesus lhe pediram que os ensinasse a orar, sua resposta foi lhes passar um modelo de oração que começa se dirigindo a Deus em termos de proximidade e amor. Talvez percamos um pouco a noção disso quando recitamos "Pai nosso que estás no céu", como está escrito na Bíblia. Porém, a intenção de Jesus não era sugerir que o Pai está bem longe no tempo e no espaço. Em vez disso, Jesus ensinou os discípulos que o Pai *dele* era também o Pai *deles*, e que a presença do Pai se encontrava tão próxima quanto a atmosfera ao redor. Seria melhor se entendêssemos "Pai nosso que estás no céu" como algo na linha de "Pai amoroso, sempre aqui conosco". Jesus está demonstrando aos discípulos que eles podem se dirigir a Deus numa base de amor e confiança — que é justamente do que necessitamos para lidar com a insegurança que desperta as comparações.

Outras palavras do Pai Nosso seguem o mesmo tipo de padrão. Como as palavras da tradução nos são tão familiares, é fácil que parte de sua importância nos escape. Aprendi a prestar atenção ao que essas palavras comunicam de fato a Deus.

Ao orar o Pai Nosso, peço a Deus que me conceda aquilo de que preciso ao começar o dia. Confiando em sua proximidade e em seu amor, peço que sua governança seja completa e que sua vontade seja feita — na maneira como lido comigo mesma, na maneira como realizo minhas atividades do dia, na maneira como interajo com outros. Peço a Deus que me supra com aquilo de que precisarei para aquele dia, confiando que só ele sabe do que preciso e só ele tem o poder de fornecê-lo. Entendendo que tanto eu quanto as pessoas a minha volta são fracas, peço perdão por minhas dívidas e lembro a mim mesma que devo perdoar os outros. E, sabendo que é provável que eu fracasse ao ser posta à prova, peço a Deus que me salve. Só depois de recitar essa oração, colocando-me de forma deliberada sob o cuidado amoroso de Deus, estou pronta para começar o dia.

Logo que comecei a prática de orar o Pai Nosso antes de me levantar, tornei-me excelente em lembrar, durante todo o

138 • O MITO DA PERFEIÇÃO

trajeto entre a cama e o banheiro, que Deus é meu Pai e que sou sua filha amada. No entanto, assim que eu acendia a luz e me olhava no espelho, minhas inseguranças voltavam à tona, e eu voltava num pulo à esteira das comparações, onde, por mais que corresse, nunca chegava a lugar nenhum.

Meu velho hábito era me fitar no espelho, notando todas as minhas imperfeições. Não mais. Comecei uma nova prática de sorrir para mim mesma e me asseverar: "Deus ama você". Pode soar piegas, mas ajuda. Não importa como eu me sinta a meu respeito, não tenho como argumentar contra a verdade dessa afirmação, e enunciá-la me ajuda a aceitá-la.

Enquanto estou no chuveiro, oro o Pai Nosso de novo, pedindo mais uma vez a Deus que governe sobre cada aspecto de minha vida, inclusive o modo como penso sobre mim e converso comigo mesma. Ao me vestir, peço a ajuda de Deus para ser grata por todas as formas com que ele me provê. E de novo peço que a vontade de Deus seja feita em cada decisão que eu tome durante o dia.

Desafios contínuos

A tentação seguinte é checar o celular ou ligar o computador enquanto tomo o café da manhã, mas descobri que é melhor para meu coração se eu começar o dia com a Bíblia aberta. Por anos abordei a Bíblia apenas para estudá-la — e não me entenda mal; ainda adoro um bom estudo bíblico —, mas hoje em dia a primeira coisa que gosto de fazer de manhã é ler a Bíblia como uma carta de Deus. Saboreio a leitura, permitindo que a Bíblia me fale sobre a bondade do Senhor, seu amor por aqueles que levam sua imagem, e sua presença em seu povo.

Uma parte da Bíblia que descobri ser benéfica para começar o dia são os salmos. Composto de 150 belos poemas de louvor

MUDANDO DE OPINIÃO DIA APÓS DIA • 139

e oração, Salmos me ajuda a abordar Deus de forma direta. Sou auxiliada em especial pela honestidade dessas orações.

Muitos dos salmos contêm palavras elevadas de louvor a Deus, algumas sendo expressões de gratidão ou chamados à adoração, como o salmo 150: "Tudo que respira louve ao Senhor!" (150.6). Alguns são apelos tranquilos pela ajuda de Deus: "Cria em mim, ó Deus, um coração puro" (51.10). No entanto, mais de um terço deles são orações de lamento, expressando dor e tristeza, como o salmo 22: "Todos os dias clamo a ti, meu Deus, mas não respondes; todas as noites levanto a voz, mas não encontro alívio" (22.2). Alguns são pedidos reverentes de bênçãos, enquanto outros são apelos surpreendentes por maldições contra os inimigos, como o salmo 17: "Levanta-te, ó Senhor! Enfrenta-os e faze-os cair de joelhos! Com tua espada, livra-me dos perversos!" (17.13).

Os salmos me lembram do poder e da confiabilidade de Deus. Ler um salmo todas as manhãs antes de me voltar para as outras atividades do dia ajuda a me fixar na bondade de Deus e me lembra de confiar nele. É bem melhor companhia para o café da manhã do que um *e-mail* ou as redes sociais.

Quando eu me encontrava presa ao hábito das comparações, sentia dificuldades para falar com Deus sobre meus sentimentos verdadeiros. Caso me sentisse feliz, eu às vezes lutava para articular minha gratidão a Deus, pois me via como não merecedora de minhas bênçãos. Caso estivesse sofrendo, sentia uma relutância para orar sobre isso, pois comparava minha situação às agruras de outras pessoas e decidia que não deveria importunar Deus com meus problemas.

Certa vez, senti um amargo desapontamento ao ter que cancelar uma viagem de férias tão aguardada depois que um furacão passou por minha cidade natal e fechou o aeroporto.

140 • O MITO DA PERFEIÇÃO

Comparei minha perda com a das pessoas cujas casas haviam sido destruídas pelo furacão, e hesitei em conversar com Deus sobre minha situação. Meu raciocínio era que essa comparação me ajudava a ter uma boa perspectiva da situação, o que em parte era verdade. Porém, mais tarde percebi que estava empregando a comparação para administrar meus sentimentos, dizendo a mim mesma: "Não devo me entristecer porque alguém mais se encontra ainda mais triste", como se eu não pudesse confiar meus verdadeiros sentimentos a Deus.

Precisei aprender a buscar uma honestidade visceral com Deus, como a que eu havia encontrado nos salmos. Não apenas conto a Deus meus sentimentos verdadeiros e lhe peço ajuda para lidar com eles, mas também admito minhas dúvidas. Quando sinto alegria ou dor, faço o possível para conversar com ele com franqueza sobre isso. Nem sempre é fácil. Sempre *quero* acreditar que Deus me ama, me aceita e me sustenta, mas às vezes tenho dificuldades. Nessas ocasiões, procuro coragem na história narrada em Marcos 9.14-24, quando Jesus foi abordado por um homem desesperado para que seu filho fosse curado. O homem apelou a Jesus: "Tenha misericórdia de nós e ajude-nos, se puder". Jesus respondeu a homem: "Se puder? Tudo é possível para aquele que crê". O pai replica com honestidade: "Eu creio, mas ajude-me a superar minha incredulidade". Essas mesmíssimas palavras têm me servido de oração inúmeras vezes.

Fazendo uma pausa com Deus

À medida que o dia prossegue, vejo-me de novo tentada a duvidar do amor de Deus por mim, a esquecer que sou uma filha amada de Deus, a me julgar com aspereza, e a me comparar a outros. Por isso, a prática da leitura dos salmos não é só para o início da manhã. Durante anos pensei que deveria praticar por um período tranquilo de manhã para que pudesse me abastecer para o resto do dia, quase como se eu enchesse o tanque do carro com combustível para a viagem do dia inteiro. É evidente, porém, que tenho muitos quilômetros a percorrer ou um vazamento no tanque, pois o abastecimento matinal nunca basta para me manter em movimento. Preciso de um lembrete do amor e do cuidado de Deus várias vezes ao dia.

Tudo mudou para mim quando aprendi uma antiga tradição de oração em horas fixas. A igreja em que cresci evitava a maioria das tradições cristãs; de maneira geral, se uma prática não era mencionada no Novo Testamento, mantínhamos distância dela. E não utilizávamos nenhuma oração escrita, tendo sempre em mente a exortação de Jesus em Mateus 6.7 para que evitemos "vãs repetições" (RA). No entanto, descobri que seguir o ritmo de orar preces escritas em horas específicas do dia me ajuda de verdade.

Minha mente sabe que Jesus me ama e está sempre comigo, mas meu coração precisa de lembretes regulares. Além de minha experiência matinal com os salmos, concluí que orações no meio do dia e à noite são especialmente benéficas. Minha fonte favorita para essas orações, a maioria extraída dos salmos, é *The Divine Hours* [As horas divinas] de Phyllis Tickle. A prática de interromper minhas atividades diárias por alguns momentos e centrar meus pensamentos em Deus, recordando seu amor e sua presença junto de mim, provou-se incalculável para que eu superasse a insegurança que leva às comparações. Longe de serem "vãs repetições", essas orações são vivificantes.

Pausa estendida

Mesmo tendo estabelecido o ritmo das orações em horas fixas, alguns dias se revelam tão desafiadores que sinto dificuldades para lembrar onde é em cima e onde é embaixo, quanto mais para lembrar que Deus me ama e se importa comigo. Nesses dias, é fácil para mim tentar acelerar, trabalhar mais rápido e com mais ardor, apinhar mais atividades em meu cronograma. No entanto, aprendi que a alma necessita de um ritmo mais lento nesses dias, não mais rápido. Por isso me dou alguns momentos para recuperar o fôlego e passar um tempo mais significativo sozinha com Deus.

Faço isso melhor quando saio para o ar livre, mesmo que seja só por poucos minutos, e passo algum tempo meditando. Embora longos períodos de meditação sejam maravilhosos, até mesmo pequenas porções de tempo dedicadas à calma contemplação são úteis.

Não importa se estou pensando em algo pequeno, como uma folha ou o ninho de um pássaro, ou em algo enorme, como o oceano ou as montanhas; meditar me ajuda a me concentrar na beleza da criação de Deus, onde muitas vezes consigo enxergar sua bondade e vontade perfeita com mais nitidez do que em minha vida. O próprio Jesus nos instruiu a olhar para a natureza:

> Observem como crescem os lírios. Não trabalham nem fazem suas roupas e, no entanto, nem Salomão em toda a sua glória se vestiu como eles. E, se Deus veste com tamanha beleza as flores que hoje estão aqui e amanhã são lançadas ao fogo, *não será muito mais generoso com vocês*, gente de pequena fé?
>
> Lucas 12.27-28 (ênfase minha)

Há não muito tempo, eu estava trabalhando em meu jardim quando as flores de minha gardênia me capturaram a atenção. Tirei as luvas, deixei as tesouras de lado e permiti que minha mente se concentrasse naquelas flores. Inalando o perfume inebriante, admirando o modo intricado como os botões se abriam para criar a flor e deslizando o dedo pelas folhas macias, senti-me relaxar ao permanecer ali, hipnotizada pela beleza das flores.

Junto às gardênias cresciam algumas margaridas, uma das flores favoritas de minha mãe. Talvez fosse apenas porque ela gostava tanto dessas flores, mas algo me levou a ponderar sobre elas também. Diferentemente das gardênias, as margaridas não apresentam uma bela fragrância; na verdade, são bem fedorentas. E as margaridas não são nem de longe tão intricadas quanto as gardênias em sua formação. Em vez das pétalas tenras que se desdobram com delicadeza, elas consistem apenas em pétalas brancas pontudas cercando um núcleo amarelo. Contudo, as margaridas se mostravam altas e orgulhosas, buscando o sol com exuberância.

Meditar sobre a complexidade da gardênia e a alegria da margarida me tocou o coração. Ocorreu-me que as flores não se digladiam com as comparações. A gardênia não imita a margarida, nem a margarida aspira a se tornar como a gardênia. Ambas resplandecem como testemunhos ao Deus que criou as flores, o Deus que ama a beleza e deseja abençoar todas as partes de sua criação. Juntas, elas transformam até mesmo meu quintal num local de fortalecimento da alma.

Elizabeth Barrett Browning escreveu:

A terra está apinhada de céu,
E cada arbusto comum arde em chamas com Deus.

144 • O MITO DA PERFEIÇÃO

Mas só aquele que vê descalça os sapatos —
O resto se senta em redor e colhe amoras.[5]

Até mesmo um curto momento de meditação representa um modo de descalçar os sapatos, reconhecendo que pisamos em solo santo. Tecer comparações o tempo todo resulta numa luta interminável para nos tornarmos melhores, sempre desejando conseguir nos comparar de forma favorável aos outros. No entanto, como explica Richard Foster, "o que acontece na meditação é que criamos o espaço emocional e espiritual que permite a Cristo construir um santuário interno no coração", onde somos lembrados do amor incondicional de Deus por nós.[6]

No momento da tribulação

E assim segue o dia, com altos e baixos, triunfos e tribulações. Às vezes, lembro-me bem de minha identidade como filha amada de Deus. Em outras, vejo-me presa ao velho hábito de tecer comparações e preciso de uma ferramenta para combatê-lo de imediato, no momento da tribulação.

A melhor forma que encontrei para combater a tentação nesse instante é pedir a ajuda de Deus, para que eu possa me apoiar em sua força a fim de realizar aquilo que sou fraca demais para realizar sozinha. Não me surpreende que Paulo tenha assim exortado seus leitores: "Nunca deixem de orar" (1Ts 5.17) e "Dediquem-se à oração com a mente alerta e o coração agradecido" (Cl 4.2).

No decorrer dos séculos, os cristãos obedeceram à exortação para orar sem cessar desenvolvendo uma petição simples a ser expressa em um único alento. A mais conhecida dessas "orações de alento" foi adaptada de uma das parábolas de Jesus sobre as orações, quando ele alertou contra o sentimento de superioridade moral e elogiou a sinceridade de um coletor de impostos que implorou: "Deus, tem misericórdia de mim, pois sou pecador" (Lc 18.13). As palavras "Senhor Jesus Cristo, Filho de Deus, tem misericórdia de mim, pecador" são conhecidas apenas como a "Oração de Jesus".

Por muitos anos, sempre que eu começava a perceber que estava me comparando a outra pessoa, eu me repreendia. "Lá vai você de novo", eu me acusava com frequência, sentindo-me desamparada e incapaz de mudar. Aprendi que é melhor utilizar esse suspiro de desamparo para alimentar uma oração por auxílio. As palavras não precisam ser eloquentes ou impressionantes. As orações de alento não são encantamentos mágicos; são orações dedicadas ao Deus vivo, que conta com a capacidade e disposição de nos ajudar. Hebreus 4.16 nos lembra: "Aproximemo-nos com toda confiança do trono da graça, onde receberemos misericórdia e encontraremos graça para nos ajudar *quando for preciso*" (ênfase minha). Uma oração de alento é uma maneira de fazer isso.

Dependendo do que estiver acontecendo em meu coração quando me flagro pensando ou falando em termos de comparações, descobri que talvez precise de um ou mais de três tipos diferentes de ajuda de Deus.

Caso perceba que estou sendo tentada a me esquecer de minha segurança como filha amada de Deus, digo: "Pai, ancora-me em teu amor".

Caso sinta que cedi às comparações e depois a algum pecado subsequente, oro: "Perdoa-me, Senhor, e mostra-me o caminho".

E caso tenha mergulhado nas comparações a ponto de invejar outra pessoa, aprendi a agradecer a Deus pelas dádivas

146 • O MITO DA PERFEIÇÃO

dessa pessoa e a orar por uma bênção para ela. Por exemplo, se me vejo desejando possuir a aparência, os bens materiais ou a posição de outro alguém, oro de imediato: "Senhor, por favor, continua a abençoar [nome da pessoa] e ajuda-a a empregar bem as dádivas que tu lhe concedeste".

Essas palavras simples, enunciadas num único fôlego, interrompem o ciclo habitual naquele momento ao substituir as palavras de comparação por palavras que oferecem um apelo a Deus, ao mesmo tempo que me lembram de que não estou sozinha em minha batalha. Deus está comigo e a meu favor, disposto a me ajudar quando eu lhe pedir. Orações de alento me recordam dessas verdades.

Por muitos anos acreditei que seria capaz de superar as comparações se tão somente conseguisse aprimorar minhas circunstâncias. Eu imaginava que, se tivesse melhor aparência, acumulasse mais posses e conquistasse mais metas, desenvolveria autoconfiança suficiente para escapar da armadilha das comparações. Essa estratégia nunca funcionou; por mais que evoluísse, eu apenas passava a me comparar a alguém mais elevado.

Comecei enfim a progredir só depois que passei a confiar mais na força de Deus do que na minha. É por isso que muitos de meus novos hábitos são formas de oração. Eugene Peterson explica:

> Não aprendemos sobre orações, aprendemos a orar; e a oração, como se constata, nunca é *só* oração, mas envolve todas as dimensões da vida [...]. O modo como seguimos Jesus deve ser internalizado e incorporado. É isso que a oração faz, coloca Jesus dentro de nós, coloca o Espírito em nossos músculos e reflexos. Não há outro meio.[7]

Gosto da maneira como Peterson formula as palavras de Paulo na Bíblia *A Mensagem*: "Nada de confiar em vocês mesmos. Isso é inútil! Mantenham a confiança em Deus" (1Co 10.12).

Ao fim do dia, decido mais uma vez deixar de lado minhas atividades a fim de descansar. O melhor ritual que encontrei para a hora de dormir é refletir sobre o dia que está terminando, acrescentando mais itens a minha lista escrita de bênçãos, agradecendo a Deus por todas as formas com que ele tem me sustentado. Com a lembrança reavivada do carinho de Deus, peço perdão pelos pecados que cometi, em vez de me repreender por minhas falhas.

Então, ao fechar os olhos, recito para mim mesma as palavras do salmo 23. Esse salmo me lembra de que, porque Deus é meu pastor, tenho tudo de que preciso. Algumas noites repito o salmo diversas vezes, mas ele nunca perde o vigor. Recordo as palavras de Jesus mais uma vez: "Silêncio! Aquiete-se!". E adormeço.

Passando da comparação ao contentamento

Nem um dia sequer passa sem que eu me sinta tentada a me comparar com outros, mas estou progredindo. Durante o processo, compreendi que, se me comparo com outros em relação à aparência, aos bens materiais, às posições que ocupo ou à influência que exerço, o próprio ato da comparação indica uma falta de contentamento.

Embora esse problema venha atormentando aqueles criados à imagem de Deus desde que Satanás instou Adão e Eva pela primeira vez a questionar a bondade de Deus, a falta prevalente de contentamento é um problema que se agravou à medida que os meios modernos de comunicação se desenvolveram. A fim de nos persuadir a pagar por bens e serviços, os anunciantes espertos entendem que precisam criar ou estimular um desejo por algo novo e diferente.

Adoro folhear velhas revistas *Life* do meio do século 20, nas quais se pode ver essa tática com clareza. Os anúncios de toda espécie de produto — pastas de dente, eletrodomésticos, automóveis — apresentam desenhos de uma pessoa triste que carece do produto específico junto a uma pessoa sorridente e triunfante que utiliza o produto. O advento da televisão multiplicou em muito o número desses anúncios. E, com o desenvolvimento da internet, sistemas sofisticados de coleção de dados se juntam a estratégias inteligentes de propaganda para nos bombardear com mensagens que sugerem que não deveríamos ser felizes em nossas circunstâncias atuais. De novo e de novo, o chamado é por *mais* e *melhor*. É evidente que alguém que se conforma com menos ou com circunstâncias inferiores está fora de sintonia ou, no mínimo, vivendo no passado.

Um quadro bem diferente emerge ao lermos as palavras de Paulo à igreja em Filipos. "Aprendi a ficar satisfeito com o que tenho", escreve o apóstolo. "Sei viver na necessidade e também na fartura. Aprendi o segredo de viver em qualquer situação, de estômago cheio ou vazio, com pouco ou muito" (Fp 4.11-12). Paulo revela o segredo de seu contentamento em sua declaração seguinte, um versículo familiar que costuma ser removido de seu contexto. "Posso todas as coisas", Paulo afirma, "por meio de Cristo, que me dá forças" (Fp 4.13).

Resistir à tentação de se sentir insatisfeito, de ansiar o tempo todo por *mais* e *melhor*, requer força — força que está disponível em Cristo. Descobri por meio de experiências dolorosas o que resulta de uma vida de comparações constantes: insegurança, ansiedade, inveja e conflito. Quero me libertar disso. Quero não apenas parar de me comparar com outros;

quero me tornar tão segura do amor de Deus e de como ele me sustenta que eu não sinta mais a necessidade de tecer comparações.

Para ser honesta, é impossível para os seres humanos efetuar sozinhos esse tipo de mudança. Entretanto, entender essa impossibilidade representa um passo enorme na direção certa, pois somos compelidos a buscar a mudança além de nós mesmos. Como escreve Richard Foster: "O que necessitamos é de um trabalho interno, e só Deus consegue trabalhar por dentro".[8]

Só a graça de Deus nos transforma em pessoas contentes com nossa identidade como seus filhos amados, livres da necessidade de nos compararmos a outros, plenamente capazes de amar nossos irmãos e irmãs. E esse tipo de transformação é exatamente o que Deus deseja para nós.

Embora a transformação necessária de nosso coração seja realizada por Deus, temos uma parte a cumprir. É por isso que adotamos práticas como o descanso, a leitura dos salmos, a meditação, a oração. Chamadas às vezes de disciplinas espirituais, essas práticas substituem nossos velhos hábitos e nos preparam para uma mudança real — a mudança que Deus opera em nosso coração. É dessa forma que começamos o treinamento para viver livres da compulsão de nos compararmos, livres da insegurança e da inveja. Fazemos o que podemos, e Deus trabalha conosco para realizar o que não podemos. Adotamos disciplinas espirituais porque queremos nos tornar mais como Jesus, que viveu com a certeza absoluta do amor do Pai. Treinar para ser como Jesus envolve práticas apropriadas às nossas situações individuais e necessidades específicas.

Precisamos ser cuidadosos aqui, pois praticar disciplinas — ou deixar de praticá-las — pode se tornar um meio de nos

150 • O MITO DA PERFEIÇÃO

julgarmos, mais uma forma de sentirmos que não estamos à altura, mais lenha na fogueira das comparações. Deus nos livre de nos imaginarmos agora como míticas pessoas-amálgamas *espirituais*.

Não, essas disciplinas se destinam a ser um caminho para a liberdade. São as formas como apresentamos nosso corpo como o "sacrifício vivo" descrito em Romanos 12.1. O resultado, como afirma Nathan Foster, é que

> nas pequenas mortes diárias de nossas ações [...], descobrimos com certeza que algo maravilhoso ocorre: ressuscitamos. Somos transformados pela graça de Deus em santos ordinários, pessoas com a disposição e a capacidade de responder à vida com amor, alegria, paz, paciência, amabilidade, bondade, fidelidade, mansidão e domínio próprio.[9]

Como minha coluna é fraca, precisei desenvolver músculos fortes no tronco. Apesar de ter revirado os olhos diante do conselho do médico, comecei o treinamento — não porque quisesse, mas porque precisava. Não é de surpreender que, na primeira vez que tentei fazer flexões, consegui só três — e esse foi o resultado de tentar com todas as minhas forças. Digamos que meu espírito estava disposto, mas a carne era fraca. Continuei tentando, porém, treinando um pouco a cada dia, criando um novo hábito. Hoje em dia, sem ter que pensar a respeito, completo trinta flexões todas as manhãs. Minha coluna ainda é fraca, mas os músculos do tronco nunca se mostraram tão fortes.

E, ao seguir as práticas que me ajudam a me sentir segura como uma filha amada de Deus, percebo que meu tronco espiritual vem se fortalecendo. Nem sempre é fácil, mas estou aprendendo a me contentar com o que sou capaz de realizar no momento, confiando que meus pequenos esforços não serão em vão.

Sempre pedindo ajuda, ancoro minha esperança por mudança na bondade e na graça de Deus, não em meu próprio poder. Pouco a pouco, estou me livrando das comparações. Estou aprendendo a viver na segurança do amor eterno da Trindade.

PARA REFLEXÃO E DISCUSSÃO

1. Você já enfrentou uma condição para a qual havia um tratamento que gerasse resultados instantâneos? Em caso positivo, explique qual foi. Você fez uso desse tratamento? Por que sim, ou por que não?

2. Você já identificou um hábito que quisesse largar? Teve sucesso para mudar o hábito? Como fez isso?

3. Liste três gatilhos que funcionam como estopim para que você se compare a outros. Compartilhe sua lista com outra pessoa e debata sobre possíveis comportamentos para substituir o ato de se comparar.

4. De quanto tempo de sono você necessita para manter a saúde? Tem dormido o suficiente? Em caso negativo, quais são três pequenas medidas que você poderia tomar que o ajudariam a ir para a cama mais cedo?

5. Você já enfrentou dificuldades para orar de maneira franca e honesta? Já se flagrou tentando administrar seus sentimentos antes de conversar com Deus sobre eles? Escreva uma oração curta contando a Deus exatamente como você se sente acerca de uma questão específica em sua vida neste momento.

6. Escreva o Pai Nosso e o salmo 23 linha por linha. Em seguida, releia e pense no que cada linha poderia significar para você hoje.

9

Avançando juntos

*Os relacionamentos formam o receptáculo para receber
a plenitude de Cristo e são o local para onde vem o reino
e onde a vontade de Deus será feita assim como
é feita no céu.*

Dallas Willard

Meu celular tocou, alertando-me para uma mensagem via Facebook do marido de uma amiga. Ele nunca havia me contatado diretamente antes, por isso me surpreendi ao ler seu nome surgir na tela, ainda mais quando vi que a mensagem me pedia que lhe telefonasse. Ele atendeu no primeiro toque. "Estou ligando por causa da Jocelyn", explicou ele, referindo-se à esposa. Ele relatou que ela havia andado doente, sentindo alguns sintomas assustadores, e que tinha uma consulta médica marcada para aquela tarde. "Estou fora da cidade, por isso não tenho como ir com ela, mas sei que ela está bem assustada. Você poderia acompanhá-la?"

Ouvindo a voz dele, lembrei-me do dia em que levei meu filho para uma consulta cardiológica de rotina e recebemos a notícia de que ele precisaria de uma cirurgia para tratar uma condição genética. Dez meses mais tarde, eu estava com meu marido quando fomos informados de que ele também precisaria de uma cirurgia cardíaca. Eu sabia por experiência própria que ninguém quer estar sozinho na hora de receber notícias difíceis.

Meu cronograma para aquela tarde era flexível, por isso liguei de imediato para Jocelyn e a avisei de que iria com ela à consulta. A princípio ela protestou: "Não posso deixar que faça isso! Você está ocupada demais para passar a tarde assim". Depois que lhe garanti que dispunha de tempo, ela concordou que eu a acompanhasse. Enquanto aguardávamos, relatamos uma à outra nossas notícias mais recentes. Ela confiou em mim o bastante para me deixar entrar com ela na sala de exame, onde me sentei em silêncio enquanto o médico lhe fazia perguntas e a examinava. Lágrimas de alívio nos vieram aos olhos quando ele eliminou a possibilidade de diagnóstico que ela havia receado.

Ao sairmos do consultório, Jocelyn me agradeceu de novo por acompanhá-la.

— No início, me senti horrorizada pelo Scott a ter contatado, mas agora estou grata — admitiu ela.

— Horrorizada por quê? — indaguei.

— Me senti tola — respondeu ela. — Vejo tantas mulheres fortes que parecem capazes de tudo, e acho que imaginei que isso era algo que eu deveria ser capaz de fazer sozinha.

É fácil entender como ela se sentiu, não é?

O impulso à independência

Pergunte a pais de crianças pequenas, e eles lhe darão com prazer exemplos do desejo — até mesmo insistência — dos filhos de realizar atividades por conta própria. "Deixa eu fazer!", declara a criança ao calçar o sapato errado em cada pé ou derramar suco em toda a mesa em vez de no copo. Embora os pais façam careta ao limpar as melecas pegajosas, também se sentem gratos pelos sinais de que os filhos estão atingindo

154 • O MITO DA PERFEIÇÃO

os marcos apropriados de desenvolvimento, progredindo em direção à autossuficiência.

Se tudo correr bem, pais, babás e professores conduzirão as crianças à *in*dependência ao mesmo tempo que lhes ensinam sobre a *inter*dependência. Ao crescer, as crianças aprendem a se relacionar com outros, a compartilhar as coisas e a se revezar, assim como aprendem sobre como as outras pessoas contribuem ao mundo. As crianças aprendem que os agricultores produzem a comida que elas comem, que os médicos e enfermeiros as ajudam quando estão doentes, que os funcionários do correio lhes trazem a correspondência, e assim por diante.

No entanto, entender a independência e a interdependência é complicado, em especial para aqueles entre nós que cresceram em culturas que valorizam os direitos individuais, a responsabilidade pessoal e a autossuficiência. As estruturas governamentais e políticas econômicas concebidas para criar oportunidades para que homens e mulheres sustentem a si mesmos e a seus entes queridos resultaram em algumas das sociedades mais prósperas da história. É claro que essas estruturas e políticas exigem que as pessoas cooperem entre si e trabalhem juntas. No entanto, a *independência* é a palavra de ordem, o tópico de nossas celebrações, tanto no nível pessoal como social.

Não é de admirar que pensemos com tanta frequência que deveríamos ser capazes de fazer tudo por conta própria. Se você é como eu, já se comparou a outros tantas vezes que conjurou uma mítica pessoa-amálgama capaz de realizar tudo e que, portanto, não precisa estar conectada a ninguém mais.

Contudo, ao escrever seu livro *O poder do hábito*, Charles Duhigg descobriu que o apoio de uma comunidade é um elemento importante em como os hábitos se alteram, algo talvez mais bem exemplificado por grupos como os Alcoólicos Anônimos. "Para que os hábitos mudem de modo permanente", explica Duhigg, "as pessoas precisam acreditar que a mudança é factível", o que gera resultados melhores quando "as pessoas se juntam para se ajudar umas às outras a mudar. A crença é mais fácil quando ocorre dentro de uma comunidade."[1]

Vivemos numa sociedade que celebra a independência. No entanto, Deus, que é ele mesmo uma comunidade de três pessoas, concebeu os seres humanos para que vivessem em comunidade também. Esse fato nos oferece uma forma diferente de encarar o mundo: o relacionamento, não o individualismo, é a base de nosso ser. O psicólogo e autor Larry Crabb observou: "A base de todo raciocínio correto sobre tudo é a Trindade. Até que nos concentremos nos relacionamentos, não chegaremos ao coração da realidade".[2] O dr. Crabb salienta que, uma vez que os seres humanos foram feitos à imagem de Deus, "experimentar a alegria da conexão é viver; não a experimentar é a morte de nossa alma, a morte de nossos desejos mais profundos, a morte de tudo o que nos torna humanos".[3]

Embora seja tentador pensar que o antídoto para as comparações constantes seja permanecer sozinho, evitar depender de outras pessoas, isso simplesmente não é verdade. Em vez disso, precisamos aprender a acolher as pessoas, abrindo o coração uns aos outros e acolhendo-os em nossa vida, de forma a vivenciarmos o tipo de conexão que Deus concebeu para nós.

O trabalho de estarmos juntos

Um dos ensinamentos mais conhecidos de Jesus está registrado em Mateus 7.12: "Em todas as coisas façam aos outros o que vocês desejam que eles lhes façam. Essa é a essência de tudo que ensinam a lei e os profetas". Em outra ocasião, ao lhe perguntarem qual seria seu mandamento mais importante, Jesus replicou: "'Ame o Senhor, seu Deus, de todo o seu coração, de toda a sua alma e de toda a sua mente'. Este é o primeiro e o maior mandamento. O segundo é igualmente importante: 'Ame o seu próximo como a si mesmo'. Toda a lei e todas as exigências dos profetas se baseiam nesses dois mandamentos" (Mt 22.37-40). O tratamento que dispensamos uns aos outros é importante para Jesus, que sabe que precisamos viver juntos em comunidade.

Houve ocasiões em minha vida em que tive a felicidade de descobrir de que espécie de comunidade eu necessitava; tudo o que precisei fazer foi me juntar ao grupo. Em outros momentos, tive que ajudar a criar a comunidade. Qualquer que seja a circunstância em que me encontro, preciso levar comigo a disposição para me conectar a outros e o compromisso de permanecer conectada.

A melhor palavra que encontrei para descrever o tipo de comunidade de que todos necessitamos é *comunhão*, embora eu admita que se trate de uma palavra que eu costumava entender mal. Quando pensava nela, minha mente saltava de imediato para o almoço comunitário que ocorria depois do culto das manhãs de domingo na igreja de minha infância. "Vão ficar para a comunhão?", eu ouvia os adultos perguntarem entre si. Eu supunha que "comunhão" fosse a comida empilhada sobre as mesas do salão de reunião depois do culto. Embora eu não estivesse correta ao pensar que comunhão significasse frango frito, macarrão com queijo e torta caseira, não estava de todo enganada. Sob certos aspectos importantes, a comunhão é o alimento da alma.

Comunhão é uma palavra que descreve a realização de algo em comum, o relacionamento entre pessoas que compartilham um vínculo entre si. Uma vez que Deus nos adotou e nos tornou parte de sua família como irmãos e irmãs, esse relacionamento é de grande importância.

Perto do fim da vida, o apóstolo João escreveu: "Anunciamos-lhes aquilo que nós mesmos vimos e ouvimos, para que tenham comunhão conosco. E nossa comunhão é com o Pai e com seu Filho, Jesus Cristo" (1Jo 1.3). A melhor definição que já encontrei para a prática intencional da comunhão é "interagir com outros discípulos em atividades comuns [...] que ofereçam sustento à nossa vida juntos e ampliem nossa capacidade de experimentar mais de Deus".[4]

A comunidade é uma característica natural de Deus, que transborda de amor. Nós, por outro lado, temos que trabalhar para chegar lá. Jesus contou aos discípulos: "Assim como eu os amei, vocês devem amar uns aos outros. Seu amor uns pelos outros provará ao mundo que são meus discípulos" (Jo 13.34-35). O desafio diante de nós é nos tornarmos cada vez melhores em viver na comunidade de amor mútuo, e isso requer prática.

Por isso praticamos estar juntos. Em primeiro lugar, obedecendo a Deus e reconhecendo nossa necessidade profunda, adoramos juntos. Estudamos, oramos, servimos, comemos, celebramos e lamentamos juntos. Algumas dessas atividades nós conseguimos realizar com grupos grandes de pessoas. No entanto, não basta apenas nos juntarmos em grandes grupos. Precisamos também buscar oportunidades para estarmos juntos em grupos menores. Devemos nos aproximar o suficiente para conhecer os pontos fortes e fracos uns dos outros, para estabelecer em espírito um elo profundo, e para pisar nos calos uns dos outros e aprender a nos perdoar mutuamente.

158 • O MITO DA PERFEIÇÃO

Também procuramos juntos o direcionamento de Deus, uma tarefa que é valiosa em especial para aqueles entre nós que estão se recuperando das fortes inseguranças associadas às comparações frequentes. Por muitos anos, acreditei que Deus estava zangado ou desapontado comigo, sem compreender que isso era uma mentira. E, como estava sempre tentando ser boa em tudo, nunca havia descoberto meus verdadeiros dons.

Desenvolver um relacionamento próximo com um grupo pequeno de amigas cristãs maduras e lhes pedir que me ajudassem a discernir a voz de Deus representou para mim um gigantesco passo à frente. Dizendo-me a verdade, elas corrigiram com gentileza meus conceitos errôneos sobre Deus. Com o passar dos anos, ajudaram-me a buscar a sabedoria de Deus e a aprender a me ver com mais clareza como alguém que Deus ama.

Dessas amigas aprendi tanto a enxergar meu próprio valor como a valorizar os outros de verdade. Elas me ajudaram a identificar meus dons e a descobrir maneiras de utilizá-los. À medida que meu relacionamento com elas se aprofundou, meu relacionamento com Deus amadureceu. Elas continuam a orar comigo e por mim ao pedir a orientação e direcionamento de Deus em questões de grandes e pequenas dimensões.

Como nos juntarmos

Em Romanos 12, encontramos algumas instruções sobre como praticar a comunhão.

> Amem-se com amor fraternal e tenham prazer em honrar uns aos outros. Jamais sejam preguiçosos, mas trabalhem com dedicação e sirvam ao Senhor com entusiasmo. Alegrem-se em nossa esperança. Sejam pacientes nas dificuldades e não parem de

orar. Quando membros do povo santo passarem por necessidade, ajudem com prontidão. Estejam sempre dispostos a praticar a hospitalidade.

Romanos 12.10-13

Creio que essa última instrução, "praticar a hospitalidade", é fundamental para buscar a comunhão real. É fácil ansiar por esse tipo de comunidade sem perceber que alguém precisa tomar a iniciativa para estabelecê-la. Contudo, a pura verdade é que, se vamos nos juntar, precisaremos de um local para isso. Ao praticar a hospitalidade, abrimos nossas portas, oferecendo nosso espaço em serviço a outros — talvez ao fornecer um aposento para uma reunião ou ao oferecer um jardim comunitário para um pequeno grupo.

Infelizmente, a ideia de praticar a hospitalidade pode se tornar um verdadeiro campo minado para aqueles de nós que se sentem tentados a se comparar a outros. Em seu livro *Just Open the Door* [Abra a porta], Jen Schmidt explora a ideia de que muitas vezes confundimos *hospitalidade* com *entretenimento*. Ela escreve: "A hospitalidade, diferentemente do ato de entreter, considera todos como convidados de honra, em vez de agarrar essa honra para si". Jen afirma que, embora tanto entreter como praticar a hospitalidade possam ocorrer no mesmo cenário, os resultados serão bem diferentes, "com base na atitude central de quem oferece as boas-vindas: de um lado, a busca de *status*; do outro, o desejo de servir".[5]

Uma das melhores formas que encontrei de superar minha tendência de comparar minha casa com a de outros é ir em frente e convidar as pessoas para que me visitem mesmo quando deparo com sentimentos de insegurança. Uma vez que eu tenha sido forçada a abrir a porta a outros, minha

160 · O MITO DA PERFEIÇÃO

atenção se concentra em meus convidados preciosos, não no estado da casa.

Admitindo nossas necessidades

Outras partes da comunhão exigem prática também. Mais adiante, Romanos 12 recomenda: "Alegrem-se com os que se alegram e chorem com os que choram" (12.15). Para que entremos assim na vida uns dos outros é preciso demonstrar vulnerabilidade, uma disposição para arriscar ser mal compreendido, rejeitado ou traído. No entanto, como escreve Brené Brown: "A vulnerabilidade é onde nascem o amor, o senso de comunidade, a alegria, a coragem e a criatividade. Se quisermos uma clareza maior acerca de nosso propósito, ou uma vida espiritual mais profunda ou significativa, a vulnerabilidade é o caminho".[6]

A vulnerabilidade é difícil em especial para aqueles entre nós com o hábito de nos compararmos com outros. Em nossa luta para nos aceitarmos, nós nos treinamos a ter medo de cometer erros. Como estamos acostumados a tentar nos equiparar a outros, encontramos dificuldades para sermos honestos a nosso próprio respeito.

Entretanto, por mais que isso soe arriscado, admitir a outros com honestidade tanto nossas fraquezas como nossos pontos fortes é um modo de formar uma conexão. "Na confissão, encontramos um importante avanço em direção à comunidade", escreve Dietrich Bonhoeffer em *Vida em comunhão*. "O pecado exige que o homem se isole. Afasta-o da comunidade. Quanto mais isolado uma pessoa se vê, mais destrutivo será o poder do pecado sobre ela."[7] A vida para a qual fomos criados é uma vida de conexão com Deus e entre nós. O poder do pecado é a obra do inimigo de nossa alma, pois ele se alegra quando evitamos essa conexão. Esse poder é rompido quando somos honestos com nós mesmos, com Deus e uns com os outros, quando deixamos de nos avaliar em relação a outras pessoas.

A comunidade que resulta da vulnerabilidade e confissão mútuas fornece uma conexão legítima, em que o ciclo da insegurança e da comparação é substituído por união e compaixão. Como ressaltou Shauna Niequist: "Com as pessoas, é possível se conectar ou se comparar, mas é impossível fazer os dois".[8]

Ao passarmos tempo em comunhão uns com os outros, é inevitável que experimentemos o que há de mau assim como o que há de bom. Uma boa regra para nos conduzirmos ao atravessar a vida juntos é oferecer

- ânimo sempre que possível
- conselhos ocasionais
- admoestações apenas quando absolutamente necessários
- condenação jamais

Precisamos do direcionamento encontrado em Gálatas sobre como tratarmos uns aos outros: "Irmãos, se alguém for vencido por algum pecado, vocês que são guiados pelo Espírito devem, com mansidão, ajudá-lo a voltar ao caminho certo. E cada um cuide para não ser tentado. Ajudem a levar os fardos uns dos outros e obedeçam, desse modo, à lei de Cristo" (Gl 6.1-2). Todos enfrentamos altos e baixos; viver juntos em comunhão nos permite vivenciar os altos e baixos juntos.

Gálatas 6 continua com mais instruções, e aprecio em especial o modo como elas foram traduzidas na Bíblia *A Mensagem*:

Cada um examine com cuidado a si mesmo e a maneira segundo a qual está cumprindo a missão que recebeu e dedique atenção total a ela. Não fiquem admirando vocês mesmos nem se

162 • O MITO DA PERFEIÇÃO

comparando com os outros. Cada um precisa assumir o compromisso de fazer o melhor que puder com sua vida.

Gálatas 6.4-5, *A Mensagem*

É fácil falar sobre uma conexão, mas precisamos trabalhar para que ela aconteça. "Quem tem tempo para isso?", é o que eu costumava me perguntar. A resposta é, sem dúvida, que ninguém tem tempo para *tudo* isso, de forma que cada um de nós precisa fazer aquilo para o qual *tem* tempo.

Em vez de almoçar sozinho, convide um colega para que se junte a você.

Em vez de checar o Instagram durante a carona entre casa e trabalho, mande uma mensagem para um amigo que estiver passando por tempos difíceis.

Em vez de dormir até tarde numa manhã de domingo, vá à igreja e ofereça-se como voluntário para servir de alguma forma modesta.

Ao praticar a convivência, aprendemos a realizar nosso trabalho mais criativo e a confiar uns nos outros. Inserimos nossa voz na vida de outros, compartilhando nossas perspectivas. Submetemo-nos uns aos outros, aprendendo a viver no tipo de harmonia que o Pai, o Filho e o Espírito Santo exemplificam. Juntos, aprendemos a confiar em Deus e a confiar uns nos outros, largando as inseguranças no caminho. Pouco a pouco, Deus torna nossa companhia mutuamente segura. Em comunhão, tornamo-nos uma força que defende o amor e que reflete o amor de Deus por nós.

E quanto à comunidade na internet?

Em 2009, descobri o mundo dos *blogs*, onde encontrei dezenas de pessoas com interesses similares aos meus. Com o passar dos anos, conheci muitas dessas pessoas na vida real, e algumas delas se tornaram amigas queridas. Alguns anos após iniciar minha experiência como blogueira, participei de uma "exposição de casas" na internet. Sempre gostei de exposições de casas na vida real, por isso me senti animada para me juntar a um grupo de blogueiros que escreveriam textos acompanhados de fotografias sobre seus lares decorados para a estação. Todos os participantes se juntaram a um grupo privado no Facebook várias semanas antes da exposição a fim de compartilhar informações pertinentes, e certo dia li um comentário lá que me deixou perplexa. Alguém escreveu: "Estou cansado de encenar todas essas fotografias para a exposição de casas". Vários outros replicaram com frases como: "É mesmo, mover todas essas peças de um lado para o outro dá um bocado de trabalho".

Fiquei confusa. Eu havia estado ocupada decorando e limpando minha casa para poder tirar as fotografias. Estava dando o máximo para tornar minhas fotos o mais bonitas possível, mas nunca me ocorreu que algumas de minhas amigas blogueiras optariam por encenar suas fotos. A verdade é que eu estava vivendo no passado. Uma vez que cada vez mais blogueiros eram pagos por seu trabalho, alguns haviam aprendido a emular fotógrafos de revistas, planejando de forma minuciosa suas fotografias para que fossem bem chamativas.

Eu não era ingênua a ponto de imaginar que tudo que eu encontrava na internet fosse uma representação precisa da vida real. Sobretudo, eu entendia que propagandas incluíam mensagens elaboradas com cuidado, às vezes até mesmo enganadoras. Contudo, aquelas blogueiras não estavam tentando enganar ou iludir; estavam tentando inspirar os leitores. Antes dessa experiência, porém, não fazia ideia de que as fotos que eu via em alguns *blogs* eram montadas e apresentadas de forma tão meticulosa.

Desde então, compreendi que os *blogs* não são os únicos espaços na internet em que representações de nossa vida são produzidas ou elaboradas com cuidado. As imagens no Pinterest mostram festas de aniversário planejadas e executadas com perfeição, e não crianças de três anos chorando porque não conseguiram pregar o rabo no burro quando foi a vez delas de jogar. As publicações no Instagram apresentam retratos de pais felizes segurando recém-nascidos envoltos numa manta, e não a agonia das horas de contrações e do parto. As publicações no Facebook mostram corredores sorrindo na linha de chegada de competições ou de meias-maratonas, e não fazendo caretas ao enfaixarem os pés cheios de bolhas.

E há ainda mais nessas fotografias. Não apenas a foto do corredor triunfante na linha de chegada não mostra seus pés cheios de bolhas, mas também não indica o que pode estar por trás da corrida. Talvez o corredor seja de fato sempre tão alegre quanto parece na foto do Facebook; talvez correr seja apenas um elemento de uma vida feliz e saudável. No entanto, talvez o corredor enfrente problemas por comer em excesso e corra para tentar emagrecer. Talvez o corredor se sinta infeliz com seu emprego ou seus relacionamentos, e corra para esquecer as dificuldades. Ou talvez haja algo mais profundo em jogo: talvez o corredor tenha sofrido abusos ou ameaças de alguém que amava, e agora corra para fugir de lembranças assustadoras. Quem sabe? Embora uma publicação nas redes sociais talvez não seja o local para compartilhar essas histórias, a verdade é que cada fotografia tem por trás uma história de algum tipo.

As imagens compartilhadas nas redes sociais podem nos levar a nos compararmos com as pessoas retratadas, ou mesmo

AVANÇANDO JUNTOS • 165

a invejá-las, mas elas descrevem apenas uma faceta de um instante no tempo. Curtimos e compartilhamos e comentamos, oferecendo cumprimentos virtuais pelo que vemos, mas não conhecemos as histórias por trás do que vemos.

Se não formos cuidadosos e nos protegermos contra isso, as redes sociais permitirão que ocupemos uma espécie de zona incorpórea, interagindo com as pessoas como se elas fossem apenas as imagens que publicam. Dessa maneira, as redes sociais representam a manifestação mais recente de uma antiga heresia em que os seres humanos são considerados partes separadas, e não um todo unificado. Inserimos um tipo de raciocínio dualístico às interações nas redes sociais, esquecendo ou desprezando o fato de que cada foto é uma representação de uma pessoa inteira, corpo e alma.

Em anos recentes, alguns pesquisadores estudaram o comportamento dos usuários das redes sociais e perceberam que "as notícias positivas são compartilhadas com maior frequência em *sites* das redes sociais do que as notícias negativas, e as pessoas tendem a se autorretratar de modo excessivamente lisonjeiro".[9] Alguns observadores notaram que as dificuldades com o sentimento de insegurança surgem a partir do fato de "compararmos nossas cenas de bastidores com a seleção dos melhores momentos de todas as outras pessoas".[10] Um pesquisador afirmou:

> A maioria de nossos amigos de Facebook tende a publicar mensagens sobre o que lhes acontece de bom na vida, deixando de fora o que há de ruim. Se nos compararmos à "seleção dos melhores momentos" de nossos amigos, isso talvez nos leve a pensar que a vida deles é melhor do que é de fato, e, por outro lado, faça com que nos sintamos pior a respeito de nossa própria vida.[11]

166 • O MITO DA PERFEIÇÃO

É imperativo entender e manter em mente que as publicações nas redes sociais representam, em grande medida, "seleções dos melhores momentos". Se você sentir dificuldades para se lembrar disso, talvez precise parar de seguir algumas pessoas ou parar de usar as redes sociais por algum tempo. E é importante compreender que algumas publicações nas redes são geradas como propaganda. São concebidas para canalizar o poder da comparação, tentando promover o descontentamento. Aprender a reconhecer quando uma publicação estimula sentimentos de inferioridade ou nos induz a sentir inveja é crucial para utilizar as redes sociais.

Entretanto, aplicativos como o Facebook e o Instagram não são males a serem evitados a todo custo; são ferramentas que podem ser empregadas para o bem, desde que aprendamos a manejá-las da maneira certa. O marido de minha amiga Jocelyn utilizou uma ferramenta das redes sociais com um propósito digno ao me contatar no dia da consulta médica. Nossa amizade via Facebook permitiu que ele me enviasse uma mensagem; sem aquele ponto de conexão viabilizado pelas redes sociais, eu não teria ficado sabendo da necessidade de Jocelyn. Eu teria perdido a oportunidade de lhe oferecer minha ajuda, Jocelyn teria perdido a oportunidade de aceitá-la, e nós duas teríamos perdido a oportunidade de aprofundar nossa amizade.

Minhas experiências me convenceram de que certa dose de comunidade via internet é possível, mas requer cuidado especial. Ao ler *Sabedoria digital para a família*, um livro excelente de Andy Crouch, aprendi que é útil estabelecer algumas regras básicas para o uso das redes sociais.[12] Seguindo o exemplo de Crouch, impus para mim algumas regras a fim de fazer bom uso dessas redes.

- Devo interagir com outros sem torná-los incorpóreos, tratando as pessoas com compaixão e dignidade, como companheiros que também foram feitos à imagem de Deus, lembrando-me de que ele nos ama a todos de igual maneira.
- Devo me apresentar de forma autêntica, visando abençoar em vez de impressionar. Por mais que eu encene, corte ou edite minhas fotografias, não modifico minha aparência. Compreendo que me sentirei tentada a fazê-lo, por isso oro pela determinação de resistir à tentação.
- Converso com outros tanto quanto possível ao deixar comentários a respeito de fotografias, fazendo perguntas e respondendo a perguntas, e assim por diante.
- Evito a leitura desatenta, como ao permitir que os olhos se concentrem de maneira breve nas fotografias sem ler as mensagens que as acompanham.
- Devo ter compaixão por mim mesma e parar de seguir qualquer pessoa cuja presença nas redes sociais pareça concebida para gerar descontentamento.
- Devo evitar discussões negativas e fugir de qualquer tipo de comportamento que eu evitaria em pessoa.
- Estabeleço limites para quanto tempo me permito dedicar às redes sociais, fazendo pausas regulares e, às vezes, me afastando por longos períodos de tempo.
- Nunca permito que interações na tela com outras pessoas sejam minhas únicas interações.

O fato é que precisamos estar uns com os outros face a face. Precisamos nos aproximar o bastante para vermos as linhas de preocupação no rosto do outro, para lhes ouvir a respiração, para lhes enxugar as lágrimas dos olhos.

168 • O MITO DA PERFEIÇÃO

Passar de interações na tela para interações na vida real nos permite vivenciar o suficiente da vida uns dos outros para entender que todos vivemos "por trás dos bastidores". Atrás dos bastidores é onde nos conectamos de forma mais profunda uns aos outros. É onde ajudamos "a levar os fardos uns dos outros" e, desse modo, obedecemos "à lei de Cristo" (Gl 6.2).

Todos ao trabalho

Ao deixar o consultório do médico de Jocelyn naquela tarde, recordei as consultas de minha família no decorrer dos anos. Pensei em nossas aventuras com cirurgias cardíacas e me senti cheia de gratidão, não apenas pelos resultados positivos, mas também pelo fato de tantos amigos terem nos apoiado durante aqueles dias difíceis.

Uma mãe paciente acolheu nosso filho caçula, proporcionando-lhe um local calmo e reconfortante onde ficar. Um pequeno time de amigas gentis limpou minha casa enquanto eu estava no hospital. Algumas das pessoas que se juntaram a mim na sala de espera levaram lanchinhos deliciosos, transformando a cena de tensão numa atmosfera quase de festa. Uma companheira de orações que aguardou comigo me segurou as mãos nos momentos mais críticos e me ajudou a atravessá-los orando por mim. Outra amiga, uma profissional de saúde, me explicou com paciência cada procedimento. Outros me presentearam com flores para alegrar nossos quartos de hospital e nos visitaram para que as horas árduas de recuperação passassem mais rápido.

Não teria sido possível para uma única pessoa, fosse quem fosse, prover para todas as necessidades durante aquele tempo, mas todos aqueles amigos trabalhando juntos tinham essa capacidade — e foi o que fizeram. Efésios 3.18 nos lembra da "largura, o comprimento, a altura e a profundidade do amor de Cristo". O povo de Deus, ao trabalhar unido, exemplifica esse tipo de amor mútuo. Fomos criados para trabalharmos juntos.

Avançando juntos

Enfrentar os desafios da vida é assustador. Quando Jesus reuniu seus discípulos mais próximos antes de ser crucificado, ele encarou esse medo. "Não deixem que seu coração fique aflito", pediu ele.

> Creiam em Deus; creiam também em mim. Na casa de meu Pai há muitas moradas. Se não fosse assim, eu lhes teria dito. Vou preparar lugar para vocês, quando tudo estiver pronto, virei buscá-los, para que estejam sempre comigo, onde eu estiver. Vocês conhecem o caminho para onde vou.
>
> João 14.1-4

Um dos amigos lá reunidos, Tomé, se pronunciou em nome de todos: "Não sabemos para onde o Senhor vai. Como podemos conhecer o caminho?" Gosto de Tomé. A pergunta dele não é a mesma que continuamos a fazer? Como podemos conhecer o caminho?

Jesus respondeu à pergunta de Tomé, assim como responde a nossas perguntas hoje: "Eu sou o caminho, a verdade e a vida. Ninguém pode vir ao Pai senão por mim" (Jo 14.6). Em seguida, Jesus explicou aos discípulos o que ele queria dizer. Aconselhou-os a se agarrarem a ele e a se amarem uns aos outros com lealdade. Prometeu que enviaria o Espírito Santo para guiá-los e consolá-los. Orou por eles, pedindo ao Pai que os protegesse e que eles experimentassem o tipo de união que ele e o Pai compartilhavam.

170 • O MITO DA PERFEIÇÃO

Uma das afirmações que Jesus fez aos discípulos naquela noite deve ter lhes dado muito em que pensar: "Aqui no mundo vocês terão aflições", ele os alertou. "Mas animem-se", encorajou Jesus, "pois eu venci o mundo" (Jo 16.33).

Hoje, assim como naquela época, os seguidores de Jesus sabem que a vida neste mundo envolve dificuldades. Jesus nos convida a confiarmos nele, a cooperarmos uns com os outros na realização de sua obra, e a nos prepararmos para passar toda a eternidade vivendo e trabalhando a seu lado. Como filhos amados de Deus, somos convidados a viver em confiança, compaixão e comunidade, praticando agora o modo como viveremos para sempre.

PARA REFLEXÃO E DISCUSSÃO

1. Você já pensou que precisava fazer tudo sozinho? Como se sente ao aceitar a ajuda de alguém? Como se sente ao oferecer ajuda a alguém?

2. Você encontra comunhão em algum grupo atualmente? Em caso positivo, liste três benefícios que você e outros membros do grupo obtêm ao participar. Em caso negativo, pense em alguma outra pessoa com quem você gostaria de começar um grupo, e depois encontre-se com ela para conversar sobre isso.

3. Como você poderia tomar a iniciativa de oferecer seu lar como local para que as pessoas se reunissem em comunhão? Essa ideia o intimida ou o assusta? Em caso positivo, liste os motivos. Compartilhe sua lista com alguém mais, e debata sobre ações que você poderia tomar a fim de combater esses temores.

4. Você já considerou que o que você encontra nas redes sociais é encenado de forma meticulosa? Já tentou apresentar

sua própria vida sob uma luz somente positiva nas redes sociais? Crie alguns parâmetros que ajudem você a utilizar bem as redes sociais.

5. Liste três maneiras simples de se conectar com alguém nesta semana. Depois de efetuar cada uma delas, ore por essa pessoa. Ao finalizar sua oração, peça a Deus que lhe mostre como estabelecer e nutrir um relacionamento próximo, e anote qualquer ideia que lhe vier à mente.

10
Uma visão ao longo do novo caminho

Seu amor uns pelos outros
provará ao mundo que são meus discípulos.

João 13.35

Na cidade em que cresci vivia uma família simpática que era dona de uma loja. Depois de anos de trabalho árduo e vida modesta, eles venderam a loja e, de súbito, se viram com uma quantia considerável à disposição. A decisão que tomaram de utilizar o dinheiro para construir uma casa nova, grande e bela, soou como uma boa ideia. Infelizmente, decidiram planejar a casa por conta própria em vez de contratar um arquiteto. Cada membro da família contribuiu com sua concepção do que seria a "casa dos sonhos", e eles pagaram um empreiteiro para combinar todos aqueles elementos numa única estrutura gigantesca. Eles obtiveram sua casa grande, mas ela não era nem um pouco bela. Embora fosse composta de elementos da "casa dos sonhos", a edificação carecia de um bom projeto, e o resultado se assemelhava mais a um pesadelo do que a um sonho.

Quando penso agora na mítica mulher-amálgama que construí para mim mesma anos atrás, pergunto-me se ela não se assemelharia um pouco àquela casa mal proporcionada. Decerto ela possuía alguns aspectos atraentes e diversos traços excelentes de personalidade e qualidades de caráter. No entanto, será que todas aquelas partes físicas combinavam?

Será que aqueles traços de personalidade e caráter conseguiriam existir numa única pessoa?

Talvez ela se revelasse ser como uma Barbie, a boneca com que brinquei quando criança. Uma pesquisa publicada em 2013 demonstrou que se uma mulher real tivesse as mesmas proporções da Barbie, ela seria incapaz de levantar qualquer objeto, de erguer a cabeça e até mesmo de caminhar com os próprios pés, sendo reduzida a andar de quatro.[1] Talvez a combinação de todos os traços de personalidade e caráter que eu admirava fossem tão incongruentes sob o aspecto mental, emocional e espiritual quanto é a boneca Barbie sob o aspecto físico.

Além disso, se houvesse de fato uma mulher-amálgama, uma pessoa tão perfeita quanto eu imaginava, será que gostaria de conhecê-la? Será que alguém se interessaria em se relacionar com ela? Alguém seria capaz de sentir alguma afinidade com ela? É provável que não. Minha própria experiência e minhas conversas com inúmeras pessoas me ensinaram que as pessoas com quem sentimos mais afinidade são aquelas que admitem suas falhas e imperfeições. Construímos relacionamentos duradouros com pessoas que se mostram dispostas a nos contar sobre suas dificuldades e a simpatizar com as nossas.

Certo dia, dei-me conta de que a criação de uma pessoa-amálgama é o assunto de pelo menos duas obras de ficção científica. Embora as histórias estejam separadas por dois séculos de conquistas tecnológicas, *Frankenstein* de Mary Shelley e *Ex Machina* de Alex Garland são ambas narrativas sobre um cientista que cria uma pessoa a partir de partes diferentes. Ambas são contos comoventes. No fim, porém, ambas são histórias de terror.

174 • O MITO DA PERFEIÇÃO

Se minha mítica mulher-amálgama, o resultado de todas aquelas comparações que fiz, ganhasse vida, será que ela também seria apavorante?

Saindo da armadilha das comparações

Comparei as comparações a uma armadilha, e não sou a única que empregou essa ideia. Aliás, enquanto escrevia este livro, a capa de uma edição da revista *Psychology Today* clamava: "Fuja da armadilha das comparações! Como ser feliz do que jeito que você é".[2]

Se pensarmos na comparação só em termos do que nos torna infelizes, o antídoto seria apenas buscar, em vez disso, aquilo que nos torna felizes. O conselho popular é apresentado de forma proeminente no artigo da *Psychology Today*: "Faça o que quiser!". Contudo, Jesus nos convoca a fazer algo diferente: o autossacrifício, e não a autoindulgência. Jesus pontificou: "Se tentar se apegar à sua vida, a perderá". É irônico que Jesus, porém, acrescente em seguida: "Mas, se abrir mão de sua vida por minha causa e por causa das boas-novas, a salvará" (Mc 8.35).

Cristo nos chama para que nos juntemos a ele: perderemos a vida, e então viveremos novamente. "Pois vocês morreram para esta vida", afirmou Paulo em Colossenses 3.3, "e agora sua verdadeira vida está escondida com Cristo em Deus." C. S. Lewis observou com razão: "Quanto mais deixarmos de lado aquilo que chamamos de 'nós mesmos' e permitirmos que ele assuma o controle, mais nos tornaremos nós mesmos. Há tanto dele, que milhões e milhões de 'pequenos Cristos', todos diferentes entre si, ainda serão insuficientes para expressá-lo por completo".[3]

Para os seguidores de Cristo, portanto, o problema da comparação é bem mais profundo do que apenas o fato de ela nos tornar infelizes. Ao nos compararmos o tempo todo com outros, desejando que fôssemos como outras pessoas, nós nos mostramos menos capazes de sermos autenticamente nós mesmos, de nos relacionarmos com Deus e com as outras pessoas, e de fazermos o que precisa ser feito. Este mundo sofrido necessita que os seguidores de Cristo realizem o trabalho árduo de conhecerem a si mesmos, para então oferecerem suas identidades autênticas — cada uma delas concebida de forma gloriosa, com dons inigualáveis, moldada de modo especial — em cuidado e serviço amoroso a outros.

E quanta alegria existe em cuidar e servir juntos! Um time vencedor não é composto de astros tentando ofuscar uns aos outros, mas de atletas dedicados que assumem, cada um deles, a responsabilidade de obedecer ao treinador, jogando bem em suas posições individuais e trabalhando com os companheiros de equipe. Uma orquestra fantástica não é formada por inúmeros solistas, todos tentando atrair os holofotes. Em vez disso, é um grupo de músicos talentosos que tocam suas próprias partes e seguem a condução do regente para produzir belas músicas juntos. As igrejas prósperas não são apenas grupos de indivíduos desconectados, mas membros com dons únicos, todos eles chamados a fazer parte do mesmo corpo, trabalhando juntos para glorificar a Deus e servir o mundo.

"Faça o que quiser"? Talvez. Sem dúvida, seja você mesmo; o mundo precisa daquilo que você tem a oferecer. No entanto, o segredo é se oferecer, não se enaltecer. "Se abrir mão de sua vida por minha causa, a encontrará" (Mt 16.25).

Escapar da armadilha das comparações não é, portanto, uma linha reta até a felicidade pessoal, mas uma jornada até a sensação de alegre segurança e comunidade.

À medida que o Espírito Santo nos abre os olhos à verdade, entendemos que somos aceitos e amados não porque somos perfeitos, mas porque o amor de Deus é perfeito: o Filho de Deus sacrificou a vida por nós, e o Pai nos adotou como filhos. Operando a partir da absoluta confiança no amor de Deus por seus filhos, conseguimos fazer uma avaliação correta tanto de nossas limitações como de nossas dádivas — não em busca de autossatisfação, mas a fim de nos oferecermos de todo o coração em serviço a Deus e aos outros seres humanos, nossos irmãos.

Em resposta à nossa oferta, Deus nos supre com o poder de abençoar os outros e de sermos abençoados em troca. Confiamos em Deus para prover a todos nós, e ele nos capacita para viver em comunidade. Assim conseguiremos deixar para trás o isolamento das comparações e adentrar a alegria de estarmos conectados com Deus e com nossos irmãos e irmãs.

Todos iguais

Não sou alguém que costume ter visões.

Tento escutar a voz de Deus. Costumo ouvir Deus falar por meio das palavras das Escrituras. Às vezes, ouço a voz de Deus soar nas palavras de outras pessoas. Muito de vez em quando, ouço a voz de Deus se dirigir a mim de forma direta. Entretanto, embora eu admita ser alguém que ouve Deus e, às vezes, alguém que o escuta, não me descreveria como alguém que o vê. Tenho amigos que têm belas visões, e me sinto sempre grata quando eles as compartilham comigo. Apenas não costumo ter eu mesma essas visões.

Certa noite, porém, tive um sonho, e quero lhe contar sobre ele.

Após me debater com a questão das comparações por tantos anos, eu estava agradecida por ter começado a aprender sobre a bela verdade da Trindade. À medida que lia mais sobre o Pai, o Filho e o Espírito Santo, eu me deleitava na maravilha e na glória de Deus. Comecei a entender pela primeira vez que havia sido concebida e criada por um Deus que me ama e que deseja o melhor para mim — e o melhor é exatamente o tipo de vida de que Deus desfruta em seu próprio ser.

Quanto mais eu meditava sobre a Trindade, mais entendia a bênção do bom relacionamento. Por anos eu havia me sentido inadequada, sempre me julgando inferior às outras pessoas. Embora acreditasse intelectualmente que Deus me amava, não me considerava de todo digna de ser amada — e por isso nunca me permiti sentir-me amada em toda a plenitude por Deus ou por outras pessoas, muito menos me regalar nesse amor. Contudo, quanto mais aprendia sobre o Pai, o Filho e o Espírito Santo, mais começava a entender o vasto amor de Deus que se estende a todas as pessoas.

Depois de meses de estudos e meditação, tive um sonho tão vívido que ainda hoje consigo recordar cada detalhe. Em geral, meu sono costuma ser tão profundo que não me lembro de sonhos, mas este permaneceu comigo.

Eu estava no sonho. Não tenho bem certeza de onde a cena transcorria, mas eu me encontrava sentada num espaço circular, cercada por fileiras e mais fileiras de outras pessoas. Talvez fosse uma arena, um teatro ou um tribunal; não estou bem certa, mas, graças aos assentos em diferentes níveis, conseguia ver que havia centenas de pessoas ao meu redor. Permaneci sentada lá, olhando em volta, fascinada pela variedade de pessoas naquele aposento.

Sentada junto a mim havia uma pessoa cujo rosto eu não enxergava com clareza. De algum modo, embora eu não soubesse explicar como, entendi que a pessoa a meu lado era Jesus. E Jesus se dirigiu a mim.

Jesus comentou, indicando todas as pessoas na sala:

— São todos iguais, você sabe.

Quando Jesus me disse aquilo, senti-me perplexa a princípio, mas logo o reconhecimento me preencheu a mente. Por isso, repliquei:

— Quer dizer que somos todos pecadores, certo? Somos todos iguais porque todos precisamos de perdão. — Assenti com a cabeça, concordando com o que supus que ele estivesse afirmando.

Jesus, porém, sacudiu a cabeça; era evidente que eu havia entendido mal. Em seguida, ele repetiu, um pouco mais enfático:

— São todos iguais.

Uma doce sensação de alívio me tomou o coração quando percebi que Jesus nos identificava a todos como muito mais do que pecadores.

— Quer dizer que somos todos filhos de Deus, não é? — indaguei com os olhos se enchendo de lágrimas. Que noção maravilhosa era aquela!

Para minha enorme surpresa, Jesus abanou a cabeça de novo. Em seguida, ele colocou um par de óculos em meu rosto e comandou:

— Veja através de meus olhos.

Como eu gostaria de ser capaz de descrever de forma adequada a visão com que deparei ao olhar por aqueles óculos. Ao voltar a cabeça, tentando observar o recinto inteiro, vi montes de joias cintilantes. Safiras, esmeraldas, diamantes, rubis e dezenas de outras gemas reluziam e fulguravam, cada uma brilhando com esplendor. Cada uma com uma beleza estonteante. Todas juntas formavam uma visão de tirar o fôlego.

E ouvi a voz do Senhor mais uma vez:

— Está vendo? São todos iguais.

Observei aquela cena por um momento que conteve o sentimento de alegria mais intensa que já experimentei. Então, com o coração acelerado e uma arfada súbita, acordei.

Uma vez que não estou habituada a receber visões, consultei alguns amigos sábios, e todos concordaram comigo sobre o significado do sonho.

É evidente que as pedras cintilantes que vi ao olhar por aqueles óculos não eram "todas iguais" num sentido literal: a variedade das joias era assombrosa. No entanto, nenhuma brilhava mais do que as outras. Cada uma era primorosa.

Creio que Deus estava tentando me dizer que cada pessoa naquela sala — inclusive eu — é de valor inestimável. Vista pelos olhos do grande amor de Deus, cada pessoa é uma visão gloriosa. Comparar uma pessoa com outra seria como sugerir que uma safira é mais encantadora do que uma esmerada: que absurdo! São ambas de uma beleza deslumbrante, ambas muito prestigiadas, ambas de imenso valor.

Quem dera eu pudesse continuar a ver por aqueles óculos.

Por tanto tempo tentei medir meu valor examinando outras pessoas, desejando ser como elas, acreditando que nunca estaria à altura do ideal, mas convicta de que deveria tentar. Com certeza, pensava eu, se conseguisse me moldar numa pessoa que possuísse o que havia de melhor naqueles que admiro, eu seria aceitável.

Em outras palavras, desejei ser capaz de me livrar da armadilha das comparações me tornando incomparável.

180 • O MITO DA PERFEIÇÃO

O sonho me revelou que a liberdade não está em ser *incom*parável, mas em ser comparável — comparável a todos os outros filhos amados de Deus, todos nós conhecidos e estimados. Criados pelo Pai, redimidos pelo Filho e vivificados pelo Espírito Santo, estamos conectados uns aos outros. Não, mais do que isso: estamos em comunhão com a Trindade e uns com os outros.

Seguros na verdade do amor todo-abrangente de Deus, deixamos de lado nossa batalha. Podemos estar ali com os outros e para os outros. Trocamos a comparação por autoconfiança e compaixão, substituímos a competição por colaboração e comunidade.

Tudo isso se torna possível graças a nosso Deus incomparável.

PARA REFLEXÃO E DISCUSSÃO

1. Considere a mítica pessoa-amálgama que você imaginou. Você consegue ver como os diversos atributos que imaginou talvez não combinem bem? Descreva ou desenhe um retrato de como essa pessoa seria.

2. "Faça o que quiser" é um bom conselho para superar as comparações? É o suficiente? Por que sim, ou por que não?

3. Reflita sobre as palavras "São todos iguais". Você já tentou se tornar incomparável para superar o problema da comparação? Como?

4. Passe algum tempo meditando sobre estas palavras: "Criados pelo Pai, redimidos pelo Filho e vivificados pelo Espírito Santo, estamos conectados uns aos outros. Não, mais do que isso: estamos em comunhão com a Trindade e uns com os outros". Escreva uma oração pedindo a Deus que ajude você a absorver essa verdade em sua própria vida.

Agradecimentos

Se já houve projetos para ensinar o princípio de que fomos criados para trabalharmos juntos, complementarmos uns aos outros, em vez de competirmos entre nós, decerto este livro é um deles. Seria impossível listar cada pessoa a quem devo minha gratidão por auxiliar com esse projeto, mas estou feliz pela chance de nomear alguns.

Jocelyn e Scott Carbonara, obrigada por escutarem minhas ideias e acreditarem que eu tinha uma mensagem a compartilhar.

Lance Hickerson, obrigada pelos muitos anos de amizade e por compartilhar seu entusiasmo por teologia comigo.

Nathan Foster, obrigada por me desafiar a compartilhar minha dor e o que aprendi como um ato de amor ao próximo.

Roy Carlisle, obrigada por me acompanhar justamente quando eu precisava de um pouco mais de direcionamento.

Colegas dos grupos Redbud Writers Guild e Hope*Writers, muito obrigada pela amizade, encorajamento, instrução e orações. Emily Freeman, sou grata pelos anos de incentivo e desafio. Margot Starbuck, obrigada por me ajudar a organizar minhas ideias e completar a proposta do livro. Shelly Wildman e Robin Dance, obrigada pelo companheirismo e pelos exemplos excelentes.

Sou grata a todos da InterVarsity Press por guiarem este livro até sua conclusão. Agradeço em especial a Cindy Bunch por ter me abordado anos atrás e me encorajado a escrever.

182 • O MITO DA PERFEIÇÃO

Tantas mães compartilharam tanto comigo no decorrer dos anos. Entre elas, agradeço em especial a Margaret Thielman, Patty Hubbard, Sonya Hove, Anne Neeley, Becky Sundseth, Cindy Clark e Kim Echstenkamper. Serei sempre grata por tudo o que me ensinaram acerca de comunidade.

Meus irmãos e irmãs de The Gathering Church, como começar a lhes agradecer? Vocês cuidaram de mim, me amaram e me ajudaram de mais maneiras do que eu seria capaz de contar. Agradecimentos especiais a Mark e Libby Acuff, Bill e Sheana Funkhouser, Curt e Jenny Lowndes, Chris e Rachel Breslin, Laura Yost-Grande, Susie Bird, Courtney Trotter, Jordan Chaney, Emily Faison, Mary Roederer, Jane Sommers-Kelly, Sandie Shoe e Keri Efird por toda a ajuda ao longo do caminho. E há muitos mais de vocês que não constam desta curta lista: obrigada.

Meus amigos e colegas da organização Renovaré, aqui só posso roçar a superfície de minha gratidão a vocês. Richard Foster e Dallas Willard, seus ensinamentos mudaram minha vida, e eu jamais teria conseguido escrever este livro sem o que aprendi com vocês. Carolyn Arends, Jon Bailey, Margaret Campbell, James Catford, Mimi Dixon, Nathan Foster, Chris Hall, Justine Olawsky, Joan Skulley, Jim Smith, Jane Willard e Gayle Withnell, vocês foram vitais para este trabalho, e eu lhes agradeço. Todos na equipe me doaram vida e saúde com seu amor, e me apontaram, sem falha, na direção de Jesus. James, sou grata em especial por ter me sugerido o título deste livro.

Minha família, nunca serei capaz de lhes agradecer o bastante. Obrigada, Mamãe e Papai, por tudo o que fizeram por mim; obrigada, Deneen e Ami, por serem irmãs tão maravilhosas. Obrigada à família Parham, em particular a Ann e Sherry, que me adotaram como membro. Obrigada a Will, Preston e

Lee por serem não apenas meus filhos, mas três de meus melhores professores. E, Jack, obrigada por tantos anos me amando, enfrentando os altos e baixos, por identificar minha mítica mulher-amálgama e me ajudar a superá-la.

A você, caro leitor: obrigada. Agradeço por ter lido essas palavras e se mostrar disposto a dar um passo comigo em direção a uma vida de coragem, compaixão e comunidade concebida e modelada pela Trindade.

E nenhuma lista verdadeira de agradecimentos jamais estaria completa sem a gratidão e louvor ao Pai, ao Filho e ao Espírito Santo. E ainda mais gratidão e louvor. Louvado seja Deus, de quem brotam todas as bênçãos.

Notas

Capítulo 1

[1]O restante desta seção foi extraído em parte de Richella Parham, "Knowing Love", *Imparting Grace* (*blog*), 12 de fevereiro de 2016, <www.impartinggrace.com/2016/02/knowing-love.html>. [Todos os acessos em 3 de agosto de 2021.]

Capítulo 2

[1]Maureen O'Connor, "The Six Major Anxieties of Social Media", *New York Magazine*, 14 de maio de 2013, <http://nymag.com/thecut/2013/05/six-major-anxieties-of-social-media.html>.

[2]Paul Angone, "Millennials' Biggest Problem: Obsessive Comparison Disorder", *Relevant*, 5 de julho de 2016, <https://relevantmagazine.com/life5/millennials-biggest-problem-obsessive-comparison-disorder>.

[3]Rebecca Webber, "Mirror, Mirror", *Psychology Today*, novembro/dezembro de 2017, p. 58.

[4]Idem, p. 59.

[5]Raj Raghunathan, "The Need to Love", *Psychology Today*, 8 de janeiro de 2014, <www.psychologytoday.com/us/blog/sapient-nature/201401/the-need-love>.

[6]Brené Brown, "Want to Be Happy? Stop Trying to Be Perfect", *CNN*, 1° de novembro de 2010, <www.cnn.com/2010/LIVING/11/01/give.up.perfection/index.html>.

[7]Dallas Willard, *Life Without Lack: Living in the Fullness of Psalm 23* (Nashville, TN: Thomas Nelson, 2018), p. 10.

[8]Eugene H. Peterson, *A Long Obedience in the Same Direction: Discipleship in an Instant Society*, 2ª ed. (Downers Grove, IL: InterVarsity Press, 2000), p. 96. [No Brasil, *Uma longa obediência na mesma*

186 • O MITO DA PERFEIÇÃO

direção: Discipulado numa sociedade instantânea. São Paulo: Cultura Cristã, 2019.]

[9]Liz Mineo, "Good Genes Are Nice, But Joy Is Better", *Harvard Gazette*, 11 de abril de 2017.

Capítulo 4

[1]Reginald Heber, "Holy Holy Holy!", 1861. [No Brasil, "Santo", versão de João Gomes da Rocha, *Cantor Cristão*, nº 27.]

[2]James B. Torrance, *Worship, Community and the Triune God of Grace* (Downers Grove, IL: InterVarsity Press, 1996), p. 35.

[3]Steven D. Boyer e Christopher A. Hall, *The Mystery of God* (Grand Rapids, MI: Baker Academic, 2012), p. 74.

[4]Dallas Willard, "Plain People Lifted into God's March Through Human History: The With-God Life Under the Hebrew Covenant", Renovaré International Conference, Denver, 2005.

[5]Sam Allberry, *Connected: Living in the Light of the Trinity* (Phillipsburg, NJ: P&R, 2013), p. 87.

[6]C. Baxter Kruger, *The Great Dance: The Christian Vision Revisited* (Vancouver: Regent College Publishing, 2005), p. 22.

[7]Julian of Norwich, *Revelations of Divine Love* (Brewster, MA: Paraclete Press, 2011), p. 14, 28. [No Brasil, *Revelações do amor divino*. Petrópolis, RJ: Vozes, 2018.]

[8]Michael Reeves, *Delighting in the Trinity: An Introduction to the Christian Faith* (Downers Grove, IL: InterVarsity Press, 2012), p. 41.

[9]C. Baxter Kruger, *Jesus and the Undoing of Adam* (Jackson, MS: Perichoresis Press, 2003), p. 19.

[10]C. S. Lewis, *The Four Loves* (New York: Harcourt Brace, 1960), p. 162. [No Brasil, *Os quarto amores*. Rio de Janeiro: Thomas Nelson Brasil, 2017.]

[11]Thomas C. Oden, *Classic Christianity: A Systematic Theology* (New York: HarperOne, 1987), p. 70.

[12]Frederick M. Lehman, "The Love of God", 1917. [No Brasil, "O amor de Deus é singular", autor da versão não identificado.],

[13]Fred Sanders, *The Deep Things of God: How the Trinity Changes Everything* (Wheaton, IL: Crossway, 2010), p. 62.

[14]Charles Wesley, "Hark the Herald Angels Sing", 1739. [No Brasil, "Natal", em versão de Robert Hawkey Moreton, *Cantor Cristão*, n° 27.]

[15]Athanasius, *On the Incarnation* 3.52 (Yonkers, NY: St. Vladimir's Seminary Press, 2011). [No Brasil, "A encarnação do Verbo", em *Santo Atanásio*, Vol. 18, Coleção Patrística. São Paulo: Paulus, 2002.]

[16]John Julian, *The Complete Julian of Norwich* (Brewster, MA: Paraclete Press, 2009), p. 84.

[17]John Mark McMillan and Sarah McMillan, "King of My Heart", *You Are the Avalanche*, 2015, <www.worshiptogether.com/songs/king-of-my-heart-john-mark-mcmillan>.

[18]G. K. Beale, *We Become What We Worship: A Biblical Theology of Idolatry* (Downers Grove, IL: InterVarsity Press, 2008), p. 16. [No Brasil, *Você se torna aquilo que adora: Uma teologia bíblica da idolatria*. São Paulo: Vida Nova, 2014.]

[19]Jurgen Schulz, "People Become Like Their God," *Perichoresis* (*blog*), 14 de maio de 2012, <https://jorgeschulz.wordpress.com/2012/05/14/people-become-like-their-god>.

[20]Torrance, *Worship, Community and the Triune God of Grace*, p. 35.

[21]Eugene H. Peterson, *Christ Plays in Ten Thousand Places: A Conversation in Spiritual Theology* (Grand Rapids, MI: Eerdmans, 2005), p. 306. [No Brasil, *A maldição do Cristo genérico: A banalização de Jesus na espiritualidade atual*. São Paulo: Mundo Cristão, 2007.]

[22]Thomas Ken, "Praise God, from Whom All Blessings Flow", 1674. [No Brasil, "Adoração", em versão de Sarah Poulton Kalley, *Cantor Cristão*, n° 8.]

Capítulo 5

[1]C. S. Lewis, *Mere Christianity* (New York: HarperCollins, 2001), p. 178. [No Brasil, *Cristianismo puro e simples*. Rio de Janeiro: Thomas Nelson Brasil, 2017.]

188 • O MITO DA PERFEIÇÃO

[2]James B. Torrance, *Worship, Community, and the Triune God of Grace* (Downers Grove, IL: InterVarsity Press, 1996), p. 32.

[3]James Bryan Smith, *The Good and Beautiful God* (Downers Grove, IL: Inter-Varsity Press, 2009), p. 154. [No Brasil, *O maravilhoso e bom Deus: Apaixonando-se pelo Deus que Jesus conhece*. São Paulo: Vida, 2010.]

[4]James Bryan Smith, "Episode 1", *Things Above*, 15 de agosto de 2018, produzido por Apprentice Institute, podcast, <https://apprenticeinstitute.org/2018/08/15/episode-01>.

[5]Heather Holleman, *Seated with Christ: Living Freely in a Culture of Comparison* (Chicago: Moody Publishers, 2015), p. 29-30.

[6]Larry Crabb, *Connecting: Healing for Ourselves and Our Relationships* (Nashville, TN: Thomas Nelson, 2005), p. 55.

[7]Emily P. Freeman, *Simply Tuesday: Small-Moment Living in a Fast-Moving World* (Grand Rapids, MI: Revell, 2015), p. 90.

Capítulo 6

[1]Michael Morrison, "An Introduction to Trinitarian Theology", em *40 Days of Discipleship: A Self-Paced Doctrinal Education Plan*, ed. Joseph Tkach, Michael D. Morrison, Gary W. Deddo, et al. (Glendora, CA: Grace Communion International, 2016), p. 7.

[2]Dallas Willard, "The With-God Life", em *The Renovaré Life with God Bible* (San Francisco: HarperSanFrancisco, 2005), p. 1.

[3]Dallas Willard, "No Longer Alone: With God as Jesus in the Eternal Kingdom Now", Renovaré International Conference, 20 de junho de 2005.

[4]John R. W. Stott, *The Cross of Christ* (Downers Grove, IL: InterVarsity Press, 1986), p. 255. [No Brasil, *A cruz de Cristo*. São Paulo: Vida, 2007.]

[5]Sophie Hudson, *Giddy Up, Eunice: Because Women Need Each Other* (Nashville, TN: B&H, 2016), p. 71.

[6]Parte do material nesta seção final foi retirada de Richella Parham, "The Purpose of My Life", *Imparting Grace* (*blog*), 20 de junho de 2014, <www.impartinggrace.com/2014/06/the-purpose-of-my-home.html>.

Capítulo 7

[1] O material neste e no próximo parágrafo foi extraído de Richella Parham, "The Spiritual Discipline of Remembering", *Imparting Grace* (*blog*), 11 de setembro de 2016, <www.impartinggrace.com/2016/09/the-spiritual-discipline-of-remembering.html>.

[2] Trevor Hudson, *Hope Beyond Your Tears: Experiencing Christ's Healing Love* (Nashville, TN: Upper Room Books, 2012), p. 14.

[3] Irving Berlin, "Count Your Blessings (Instead of Sheep)", 1954, <https://genius.com/Irving-berlin-count-your-blessings-instead-of-sheep-lyrics>.

[4] Johnson Oatman Jr., "Count Your Blessings", 1897. [No Brasil, "Conta as bênçãos", em versão de Eliza Rivers Smart, *Cantor Cristão*, n° 329.]

[5] Ann Voskamp, *Vida simples, vida plena: A gratidão como caminho para superar as circunstâncias* (São Paulo: Mundo Cristão, 2015), p. 62.

[6] Idem, p. 49.

[7] Idem, p. 160.

[8] Henri J. M. Nouwen, *Home Tonight: Further Reflections on the Parable of the Prodigal Son* (New York: Doubleday, 2009), p. 38-39.

[9] James Bryan Smith, "Episode 1," *Things Above*, 15 de agosto de 2018, produzido por Apprentice Institute, *podcast*, <https://apprenticeinstitute.org/2018/08/15/episode-01>.

[10] Richard Foster, *Prayer: Finding the Heart's True Home* (San Francisco: HarperSanFrancisco, 1992), p. 205. [No Brasil, *Oração: O refúgio da alma*. São Paulo: Vida, 2008.]

[11] Peter Scazzero, *Emotionally Healthy Spirituality*, ed. atualizada (Grand Rapids, MI: Zondervan, 2014), p. 53.

[12] Trevor Hudson, *Discovering Our Spiritual Identity: Practices for God's Beloved* (Downers Grove, IL: InterVarsity Press, 2010), p. 42.

[13] Idem, p. 27.

Capítulo 8

[1] Charles Duhigg, *The Power of Habit: Why We Do What We Do in Life and Business* (New York: Random House, 2012), cap. 1. [No Brasil, *O*

190 • O MITO DA PERFEIÇÃO

poder do hábito: Por que fazemos o que fazemos na vida e nos negócios. São Paulo: Objetiva, 2012.]

[2]Tomás de Kempis, *Imitação de Cristo* (São Paulo: Mundo Cristão, 2017), p. 47.

[3]O material no restante desta seção foi extraído de Richella Parham, "The Spiritual Discipline of Rest", *Renovaré*, 19 de agosto de 2016, <https://renovare.org/articles/the-spiritual-discipline-of-rest>.

[4]James Bryan Smith, *The Good and Beautiful God* (Downers Grove, IL: InterVarsity Press, 2009), p. 33.

[5]Elizabeth Barrett Browning, *Aurora Leigh*, livro 7, *Bartleby.com*, acessado em 21 de fevereiro 2019, <www.bartleby.com/236/86.html>.

[6]Richard J. Foster, *Celebration of Discipline: The Path to Spiritual Growth* (San Francisco: HarperSanFrancisco, 1978), p. 20. [No Brasil, *Celebração da disciplina: O caminho do crescimento espiritual*. São Paulo: Vida, 2007.]

[7]Eugene H. Peterson, *A Year with Jesus: Daily Readings and Meditations* (São Francisco: HarperSanFrancisco, 2006), p. viii. [No Brasil, *Um ano com Deus: Leituras e meditações diárias*. Viçosa, MG: Ultimato, 2015.]

[8]Foster, *Celebration of Discipline*, p. 6.

[9]Nathan Foster, *The Making of an Ordinary Saint: My Path from Frustration to Joy with the Spiritual Disciplines* (Grand Rapids, MI: Baker, 2014), p. 191.

Capítulo 9

[1]Charles Duhigg, *The Power of Habit: Why We Do What We Do in Life and Business* (New York: Random House, 2012), p. 89.

[2]Larry Crabb, *Experiencing the Trinity: The Trinitarian Community and Spiritual Formation* (Denver, CO: New Way Ministries, 2013), CD-ROM.

[3]Larry Crabb, *Connecting: Healing for Ourselves and Our Relationships* (Nashville, TN: Thomas Nelson, 2005), p. 55.

[4]*The Renovaré Life with God Bible* (New York: HarperCollins, 2005), p. 518.

[5]Jen Schmidt, *Just Open the Door: How One Invitation Can Change a Generation* (Nashville, TN: B&H, 2018), p. 8.

NOTAS • 191

[6]Brené Brown, *Daring Greatly: How the Courage to Be Vulnerable Transforms the Way We Live, Love, Parent, and Lead* (New York: Avery, 2015), p. 34. [No Brasil, *A coragem de ser imperfeito: Como aceitar a própria vulnerabilidade, vencer a vergonha e ousar sem quem você é*. Rio de Janeiro: Sextante, 2013.]

[7]Dietrich Bonhoeffer, *Life Together: The Classic Exploration of Christian Community* (New York: Harper & Row, 1954), p. 110. [No Brasil, *Vida em comunhão*. São Leopoldo, RS: Sinodal, 2009.]

[8]Shauna Niequist, citada em Emily P. Freeman, "Choosing Connection Over Competition", *Emily P. Freeman* (*blog*), 5 de dezembro de 2014, <https://emilypfreeman.com/choosing-connection-competition>.

[9]Carrie Kerpen, "Stop Comparing Your Behind-the-Scenes with Everyone's Highlight Reel", *Forbes*, 29 de julho de 2017, <www.forbes.com/sites/carriekerpen/2017/07/29/stop-comparing-your-behind-the-scenes-with-everyones-highlight-reel/#27f1f63f3a07>.

[10]Philippe Verduyn et al., "Do Social Network Sites Enhance or Undermine Subjective Well-Being? A Critical Review", *Social Issues and Policy Review*, 13 de janeiro de 2017, <https://doi.org/10.1111/sipr.12033>.

[11]"Facebook Use Linked to Depressive Symptoms", *Science-Daily*, 6 de abril de 2015, <www.sciencedaily.com/releases/2015/04/150406144600.htm>.

[12]Andy Crouch, *The Tech-Wise Family: Everyday Steps for Putting Technology in Its Proper Place* (Grand Rapids, MI: Baker, 2017). [No Brasil, *Sabedoria digital para a família*. Audiolivro. São Paulo: Pilgrim Books, 2019.]

Capítulo 10

[1]"An Epidemic of Body Hatred", *Dying to Be Barbie*, acessado em 21 de fevereiro de 2019, <www.rehabs.com/explore/dying-to-be-barbie/#.W1sda34nZo6>.

[2]Rebecca Webber, "Mirror, Mirror", *Psychology Today*, novembro-dezembro de 2017, p. 56-65.

[3]C. S. Lewis, *Mere Christianity* (New York: HarperCollins, 2001), p. 225.

Compartilhe suas impressões de leitura,
mencionando o título da obra, pelo e-mail
opiniao-do-leitor@mundocristao.com.br
ou por nossas redes sociais

Esta obra foi composta com tipografia Palatino e Europa
e impresso em papel Ivory Cold 65 g/m² na Geográfica